Para Patrícia,

Com carinho,

Inteligência
emocional
feminina

Simone Salgado
11/2019

AGRADEÇO A TODAS AS MULHERES QUE FIZERAM E FAZEM PARTE DA MINHA VIDA.

arminha Luciana Análi
Fernanda Ana Cristina
na Carmem Ana Paula
e Mary Elaine Solange
ra Josie Natália Luciana
he Paula Patrícina Inêz
y Jacinta Arlinda Maria
da Kátia Penha Karine
Hellem Samira Miruca
aola Andréa Juliana
ênia Geovana Márcia
one Lucinara Carmen
nélia Sandra Rijarda Elis
urdes Loraine Alice Cida
arcilia Margarita Gisele
Cláudia Marli Carolina
he Daniela Rayane Lílian
nha Janaína Demecília
vana Piedade Paulinha Branca

Simone Salgado

Inteligência emocional feminina

Literare Books, 2019

Presidente:
Mauricio Sita

Vice-presidente:
Alessandra Ksenhuck

Capa:
Oberdam Aguiar

Diagramação:
Paulo Gallian

Edição de texto:
Frank de Oliveira

Diretora de projetos:
Gleide Santos

Diretora executiva:
Julyana Rosa

Relacionamento com o cliente:
Claudia Pires

Impressão:
Impressul

Dados Internacionais de Catalogação na Publicação (CIP)
(eDOC BRASIL, Belo Horizonte/MG)

S164i   Salgado, Simone.
     Inteligência emocional feminina / Simone Salgado. – São Paulo
(SP): Literare Books International, 2019.
     14 x 21 cm

     ISBN 978-85-9455-215-0

     1. Emoções e cognição. 2. Inteligência – Mulheres. 3. Inteligência
emocional. I. Título.

                     CDD 152.4

Elaborado por Maurício Amormino Júnior – CRB6/2422

Literare Books International
Rua Antônio Augusto Covello, 472 – Vila Mariana – São Paulo, SP
CEP 01550-060
Fone/fax: (0**11) 2659-0968
site: www.literarebooks.com.br
e-mail: contato@literarebooks.com.br

*Dedico este livro a minha filha Maria Eduarda
e a minha sobrinha Nádia Maria.*

*Desejo que vocês possam SER o que
quiserem e que possam frequentar todos
os lugares que desejarem e ocupar
todos os postos com que sonharem.*

*Que o fato de SER mulher nunca seja um
impedimento, mas, sim, uma dádiva!*

A todas as mulheres da minha vida!

Com amor,

Simone Salgado

Lisboa, 23 de outubro de 2018

À Master Simone Salgado - Florida Christian University

ESTIMADA MESTRE,

Com muito gosto recebi seu convite para escrever "algumas palavras" sobre o seu livro *Inteligência emocional feminina*. Li com bastante acuidade acadêmica e fiquei muito feliz sobre o tema e a forma como o abordou. Encaminho meu depoimento, para você:

Li com muito interesse a dissertação que origina o livro. Fiquei feliz com a quantidade e a qualidade dos dados e dos autores referenciados que trabalham com a questão de gênero, principalmente no Brasil.

Simone Salgado é uma mulher que tem autoridade e, agora, conhecimento científico para falar sobre emoções femininas. Ela própria é um exemplo de como o uso inteligente de pensamentos, emoções e sentimentos, congruentes com ações, pode significar mudanças de vidas e de destinos. É uma pioneira em várias situações de desafios femininos, como ser mãe, empresária nos Estados Unidos, exercer profissões caracterizadas como "masculinas", ou ainda ressignificar momentos e assumir para si mesma 100% de responsabilidade por seus resultados. É uma mulher que exerce sua inteligência emocional feminina para vir ao centro de sua vida e harmonizar seus negócios, sua vida social, sua família e sua espiritualidade.

Recomendo e indicarei para as minhas alunas de pós-graduação em Coaching Feminino Caminho das Estrelas, Uninta-Brasil.

Rijarda Aristóteles
Presidente - IEF Internacional
www.inteligenciaemocionalfeminina.com

Todo livro faz parte importante das experiências e pesquisas de uma caminhada longa do seu escritor. Parabenizo você, cara leitora, que tem em mãos esta obra. Nela, com certeza, encontrará informações e técnicas valorosas que, aplicadas em sua vida, trarão resultados extraordinários.

Tive o prazer de conhecer a Simone Salgado há mais de quatro anos. Nesse período, participamos de vários momentos juntas, e o interessante é que, em todas as situações, Simone demonstrou ser uma pessoa admirável e muito séria no que faz. A sua dedicação e o seu comprometimento, sem dúvida, são pontos em destaque em sua jornada. Neste livro, ela não foi diferente: uniu a sua experiência pessoal e profissional, assim como suas pesquisas, para oferecer um verdadeiro guia de uma vida emocional equilibrada por meio da inteligência emocional feminina. É, sem dúvida, uma obra que proporcionará às mulheres benefícios incríveis.

A jornada da mulher é repleta de desafios constantes, pois não é fácil dividir diversos papéis em uma só pessoa, porém somente a mulher tem essa capacidade de ser esposa, mãe, filha, amiga, profissional e ainda atender tão bem às muitas necessidades sociais que a ela são solicitadas.

Com essa vida agitada e cheia de compromissos, não resta dúvida de que aumentam os desafios para a mulher e, além disso, a discriminação, a cultura e as mudanças hormonais contribuem para um quadro emocionalmente desequilibrado. E só por meio do autoconhecimento, de uma autoimagem positiva e do desenvolvimento da inteligência emocional, as mulheres serão capazes de administrar uma existência plena de paz e abundância.

Meu desejo é que você faça desta leitura uma jornada divertida e emocionalmente libertadora.

Josie Oliveira, Ph.D
Master, Personal & Professional Coach

SUMÁRIO

UMA PROPOSTA E UM PROPÓSITO

Mulheres. Elas trabalham, lutam, se esforçam, vencem, perdem, vencem de novo e se emocionam. Muitas delas batalharam e batalham para poder atuar na vida com as mesmas condições com que os homens atuam, mas sabemos que, apesar de todas as conquistas femininas, ainda está longe o dia dessa igualdade total. É preciso vencer muitos desafios a cada momento, numa tarefa em que o fato de ser mulher já de antemão aumenta o desafio e a dificuldade. A mulher que é mãe, que é esposa, que tem de se dedicar à família, muitas vezes se esquece de si mesma, deixando de lado os cuidados consigo, o que, a longo prazo, tem reflexos nocivos sobre sua autoestima. E, para aquelas que estão no ambiente corporativo, o desafio é ainda maior: estereótipos se colocam no caminho, preconceitos se manifestam e elas precisam ter muito controle para enfrentar tudo sem se esfacelar.

Um recurso para lidar com essas situações é o aprendizado da inteligência emocional, da qual temos ouvido falar muito nos últimos anos, em livros hoje consagrados como *best-sellers*.

Mas seria possível pensar em uma inteligência emocional feminina, em um trabalho voltado especificamente para as mulheres, com suas emoções únicas, seu jeito de ser especial? Poderia haver um trabalho que as ajudasse a lidar melhor com toda a carga decorrente de desigualdades e injustiças seculares no tratamento que recebem e que toda a luta feminista em várias frentes ainda não foi capaz de apagar?

Este livro, adaptado de uma tese acadêmica, busca lançar um olhar sobre o problema. E, mais que isso, sugerir formas de desenvolver a inteligência emocional feminina, abrindo um caminho de aprendizado pessoal, que poderá ser sustentado por um trabalho de *coaching*, com o objetivo de fazer com que a leitora possa lidar melhor com a vida, e crescer em todos os aspectos. Esse mundo de promessas e conquistas está muito perto. Para chegar a ele, basta virar a página.

1

MUITO ALÉM DA BELEZA, A INTELIGÊNCIA

Ó beleza!
onde está
tua verdade?

William
Shakespeare

Apesar do discurso da igualdade entre gêneros e da garantia dos direitos das mulheres, por que algumas delas ainda se submetem à imposição de um padrão de beleza praticamente inalcançável? Por que motivo isso continua a acontecer, apesar de tantos discursos contrários? O mundo corporativo tem permitido às mulheres conciliar trabalho e vida pessoal? A falta de autoconhecimento e de inteligência emocional estaria nas raízes do problema?

A inteligência emocional feminina é um tema de relevância atualmente. Vivemos tempos de grandes mudanças sociais e profundas modificações no mercado de trabalho – alterações nas profissões e nos vínculos trabalhistas organizacionais, desemprego, subemprego – que exigem da mulher habilidades diferenciadas para que ela possa se incluir nesse ambiente.

> *Vivemos também tempos de uma "ditadura da beleza", que escraviza a maioria das mulheres.*

Dois dos grandes desafios para as mulheres são conseguir uma vaga no mercado de trabalho condizente com sua capacidade e potencial profissional e lidar com as cobranças impostas pela sociedade.

Brasileira, residente nos Estados Unidos há mais de vinte anos e empresária há mais de dezoito na área financeira e administrativa, passei por grandes desafios profissionais. Ao longo de cerca de seis anos atuando diretamente como *master coach* em cursos, programas e atendimentos individuais pelo Instituto Simone Salgado, observei, de forma não sistemática, relatos de alunas e de clientes do sexo feminino sobre as dificuldades enfrentadas pela ausência de inteligência emocional. Eles incluíam considerações sobre as mudanças ocorridas na vida de cada uma delas após a realização dos cursos, seus anseios em relação ao mundo do trabalho e suas expectativas quanto à construção de um futuro profissional e pessoal. Recebi também devolutivas informais de empresas parceiras sobre a importância da inteligência emocional para o universo corporativo.

Tais relatos trazem indícios de que a relação entre a mulher e o mercado de trabalho é afetada pela falta de inteligência emocional, assim como ocorre com o desejo de conciliar vida pessoal e profissional; são essas influências que este livro tem por objetivo identificar, esclarecer e compreender.

É comum estarmos às voltas com um mercado de trabalho restrito, porém ávido de profissionais bem formados, proativos, flexíveis, motivados, capazes de enfrentar e solucionar os problemas do cotidiano, comprometidos com valores e ações relacionados com a qualidade, com a capacidade de empreender, com a formação da cidadania e da responsabilidade social.

O que é a inteligência emocional

O autor Daniel Goleman, conhecido sobretudo pela obra *Inteligência emocional*[1], que merecidamente será citada muitas vezes neste livro, chamou sempre a atenção para o fato de que nos tempos atuais, para além dos diplomas e da experiência, se busca a capacidade do indivíduo de lidar de forma adequada com aqueles que estão à sua volta e consigo. Em minha percepção e rotina profissional, a inteligência emocional é um fator imprescindível para que a mulher se desenvolva e atinja seus objetivos no que se refere à vida pessoal e à vida profissional.

Em seu livro, *Trabalhando com a inteligência emocional*, Daniel Goleman nos diz que a inteligência emocional "significa administrar

---

[1] As referências bibliográficas completas encontram-se no final do livro.

sentimentos, de forma a expressá-los apropriada e efetivamente, permitindo às pessoas trabalharem juntas, com tranquilidade, visando a metas comuns".

A Organização Mundial da Saúde (OMS) sugere programas de ensino de "habilidades de vida" que visam desenvolver comportamentos adaptativos e socialmente adequados para se aprender a negociar eficazmente com as demandas e desafios do cotidiano. Essas habilidades de vida propostas pela OMS buscam favorecer mudanças de comportamento e melhoria na qualidade de vida de forma geral. São elas:

✓ tomada de decisão;

✓ resolução de problemas;

✓ pensamento criativo;

✓ pensamento crítico;

✓ comunicação eficaz;

✓ relacionamento interpessoal;

✓ autoconhecimento;

✓ empatia;

✓ capacidade de lidar com as emoções e com o estresse.

No site Escola da Inteligência, idealizado pelo escritor Augusto Cury e voltado para o desenvolvimento da inteligência emocional, da saúde psicossocial e da construção de relações saudáveis, o autor Paulo Silvino Ribeiro define inteligência emocional como "a nossa capacidade de reconhecer diferentes emoções e sentimentos e conseguir administrar tudo isso sem passar por grandes sofrimentos".

> *Muitas mulheres sofrem com o padrão de beleza imposto pela sociedade, tornando-se críticas em relação à sua aparência e vítimas de variados distúrbios emocionais e psíquicos, o que as deixa inseguras, infelizes e impedidas de identificar e construir seus sonhos, desenvolver novos relacionamentos e ocupar espaços profissionais e sociais.*

Neste livro, partimos do pressuposto de que a maneira de cada pessoa lidar consigo mesma e com o outro constitui um critério de avaliação profissional e social, pelo qual a mulher pode perceber a si própria, assim como reconhecer suas competências emocionais e os impactos gerados em sua vida e na vida de seus familiares. Pois, como afirma Daniel Goleman na obra citada, a "inteligência emocional pode ser, em grande parte, aprendida e continuar a se desenvolver no transcorrer da vida, com experiências que acumulamos".

Tendo a reflexão acima como base, questiona-se: as mulheres possuem consciência de quanto estão se prejudicando ao serem seduzidas pelo padrão de beleza imposto pela sociedade? Conciliar a vida profissional e pessoal e o acúmulo de tarefas diárias realmente é uma meta consciente para a maioria delas? Os temas e ferramentas propostos nos cursos de inteligência emocional e *coaching* podem contribuir para a mudança de comportamentos, a fim de que elas possam aprender a gerenciar a rotina de maneira saudável? As capacidades/habilidades são identificadas e absorvidas por elas?

A proposta deste livro

Na procura de respostas para essas perguntas, abordamos aqui a relação entre inteligência emocional feminina e o desafio das mulheres de conciliar vida pessoal e profissional, buscando maneiras para "esvaziar o prato" emocional, e contribuir para que elas tenham coragem e preparação adequada para cuidarem de si mesmas em primeiro lugar. Especificamente, vamos tratar das seguintes questões:

✓ Apesar de tantos discursos contrários, como da igualdade entre gêneros e da garantia dos direitos da mulher, por que algumas mulheres ainda se submetem à imposição de um padrão de beleza inalcançável para a maioria delas?

✓ O mercado de trabalho tem permitido às mulheres enfrentar o desafio de conciliar trabalho e vida pessoal?

✓ A falta de autoconhecimento e de inteligência emocional está nas raízes do problema?

As pessoas pesquisadas foram mulheres com idades de 30 a 60 anos, alunas e ex-alunas dos cursos do Instituto Simone Salgado, e mulheres integrantes das minhas redes sociais que atenderam ao convite para a pesquisa de forma voluntária. Elas são casadas ou estão em relacionamentos estáveis, e têm filhos e trabalham fora.

Começamos então com a pesquisa bibliográfica, em busca de uma concepção teórica sobre os aspectos que contemplam o tema, com o objetivo de identificar concepções sobre inteligência emocional feminina e suas implicações nas relações pessoais e profissionais da mulher, assim como seu envolvimento com o ambiente corporativo.

Nossa proposta foi organizar e discutir as publicações mais recentes sobre o tema em questão, de forma que, sem a pretensão de realizar um mapeamento completo da extensa literatura, pudéssemos oferecer algumas respostas a questões importantes, como:

✓ Por que, apesar de alguns avanços, a imagem feminina muitas vezes ainda se reduz à questão da beleza estética?

✓ Tem o mercado de trabalho se preocupado com as diferenças de gênero?

✓ Como os temas propostos nos cursos de inteligência emocional e *coaching* podem atuar para melhorar esse quadro?

A pesquisa de campo quantitativa e qualitativa envolveu trinta mulheres do Brasil e Estados Unidos, de diversas áreas de atuação profissional, de classes sociais e graus de instrução variados, que conciliam jornadas pessoais e profissionais, sendo os dados coletados por meio de um questionário, com respostas de múltipla escolha.

Com o intuito de fazer um estudo que considerasse os aspectos da inteligência emocional feminina, foram realizados convites ao público selecionado a fim de esclarecer o propósito da pesquisa e delinear a forma como transcorreria a aplicação do questionário e a garantia de sigilo das informações.

Os questionários apresentavam pontos sobre área de atuação, função, tempo, fatores que as ajudaram a conseguir um emprego, salário e conhecimentos técnicos, bem como sobre saúde mental, emocional e nível de satisfação pessoal como mulher, mãe, esposa e profissional.

A essência do conteúdo desses questionários buscou identificar se a inteligência emocional pode contribuir para a qualidade emocional e mental da mulher, assim como para o aprimoramento de suas relações pessoais e profissionais. Foram também deixados espaços para que as empresas ficassem à vontade para colaborar com sugestões.

No segundo capítulo, será abordada a conceituação de inteligência emocional, destacando-se a inteligência emocional feminina e suas implicações na vida da mulher. No terceiro, veremos os aspectos da imposição dos padrões excessivos de beleza no universo feminino. No quarto, apresentaremos os fatores que contribuem para o adoecimento emocional da mulher, dando exemplos de exercícios práticos para superar o problema.

Há ainda muito a ser pesquisado sobre o tema. Este livro oferece uma contribuição para a reflexão acerca da inteligência emocional feminina e sua implicação na qualidade emocional e mental da mulher. Que este livro possa suscitar o interesse pelo tema e inspirar trabalhos semelhantes.

Fim de sessão

Nossa conversa neste capítulo abordou:

☑ As exigências que a sociedade coloca para a mulher;

☑ Os desafios para a mulher se posicionar no mundo de hoje;

☑ A definição de inteligência emocional;

☑ Propostas para abordar o problema.

INTELIGÊNCIA EMOCIONAL: UM CONCEITO, MUITAS DEFINIÇÕES

LIBERDADE É UMA PALAVRA QUE O SONHO HUMANO ALIMENTA,

não há ninguém que explique e ninguém que não entenda.

Cecília Meireles

Ainda que o conceito de inteligência emocional (em geral associado à sigla QE, de quociente emocional, por associação com a sigla QI, de quociente de inteligência) seja relativamente novo, há um extenso histórico de pesquisas, hipóteses e aprimoramentos nessa área de estudo.

As primeiras tentativas de definir inteligência emocional surgiram na década de 80, quando o psicólogo israelense Reuven Bar-On, um dos mais importantes pioneiros, teóricos e pesquisadores em inteligência emocional, utilizou a abreviatura QE para se referir a aspectos dessa área.

Mais tarde, em 1990, os psicólogos americanos John Mayer e Peter Salovey, em uma publicação, citaram pela primeira vez a expressão "inteligência emocional", apresentada como uma subclasse da inteligência social. No final da década de 90, a ideia seria amplamente difundida pelo psicólogo Daniel Goleman, também americano.

O interesse crescente pela compreensão da capacidade humana incita cada vez mais os estudiosos a reconhecerem a importância do que chamamos hoje de inteligência emocional e a desenvolverem novas pesquisas a respeito.

De acordo com Mayer e Salovey, o conceito de inteligência emocional enfatiza a percepção e o controle da emoção e dos sentimentos. Com base em seus escritos, se pode dizer que inteligência emocional tem a ver com:

- ✓ perceber, avaliar e expressar emoções com precisão;
- ✓ acessar e/ou gerar sentimentos quando estes facilitam o pensamento;
- ✓ entender as emoções e o conhecimento emocional;
- ✓ regular emoções para promover o crescimento emocional e intelectual.

Existem numerosos estudos e pesquisas que buscam estabelecer distinções entre as diversas visões sobre inteligências ditas tradicionais, práticas, acadêmicas e abstratas. Pelo exame de diversos autores, verifica-se que ainda há divergências de opinião entre os principais pesquisadores do assunto.

Nesse cenário, muitos deles definem e redefinem o conceito de inteligência emocional de diversas maneiras, o que torna quase impossível listar todas as formas expressadas.

Sendo assim, optamos por adotar a definição utilizada por Daniel Goleman, em sua obra *Inteligência emocional*:

> *A capacidade de criar motivações para si próprio e de persistir num objetivo apesar dos percalços; de controlar impulsos e saber aguardar pela satisfação de seus desejos; de se manter em bom estado de espírito e de impedir que a ansiedade interfira na capacidade de raciocinar; de ser empático e autoconfiante.*

Já no livro *Trabalhando com a inteligência emocional*, publicado no Brasil em 1998, Daniel Goleman retoma a definição do termo como a "capacidade de identificar os nossos próprios sentimentos e os dos outros, de nos motivar e de administrar as emoções em nós e em nossos relacionamentos".

Dessa forma, uma pessoa emocionalmente inteligente seria aquela que é capaz de identificar suas emoções com mais facilidade e de aprender a se autodominar. E, na mesma obra, o autor cita Aristóteles para validar sua afirmação:

> *Qualquer um pode zangar-se – isso é fácil. Mas zangar-se com a pessoa certa, na hora certa, pelo motivo certo e da maneira certa – não é fácil.*

A incapacidade de equilibrar os aspectos da inteligência emocional afeta negativamente a vida do ser humano, incluindo áreas como a saúde, o trabalho e os relacionamentos com familiares, filhos e amigos.

Em outras palavras, é importante termos paixões, já que, se elas forem bem aplicadas, podem nos ser úteis em termos de organizar nossos pensamentos e facilitar nossa sobrevivência. Ou seja:

> *Não é proibido ter emoções, o importante é saber lidar adequadamente com elas.*

Quando a expressão e o processamento das emoções ficam comprometidos e não há compreensão dos próprios sentimentos, a pessoa tende a se tornar mais vulnerável e suscetível a estresse, depressão, ansiedade, entre outros desequilíbrios emocionais.

Esses fatores também podem afetar áreas da saúde, dando origem a uma bola de neve cada vez mais difícil de controlar. Como afirma o autor Augusto Cury, no livro *A ditadura da beleza e a revolução das mulheres*:

> *Se você não souber gerir sua emoção, será quase impossível viver sem se acidentar, se estressar e esgotar o cérebro.*

Assim, o controle das emoções é uma das características de pessoas que possuem alta inteligência emocional.

Um dos problemas desenvolvidos pelo baixo nível de inteligência emocional é a ansiedade. Augusto Cury, em sua obra *Gestão da emoção*, aborda o tema ansiedade por dois aspectos: saudável e doentio.

Para o autor:

> *A ansiedade é saudável quando exerce um papel motivador, impulsionador, incentivando conquistas positivas. Entretanto, quando passa a ter um papel doentio, causando sérios problemas para o indivíduo, ela é traduzida como "irritabilidade, humor depressivo, angústia, baixo limiar para frustrações, fobias, preocupações crônicas, apreensão contínua, obsessão, velocidade exacerbada dos pensamentos.*

Tem-se investigado se a inteligência emocional contribui para que os indivíduos consigam lidar melhor com sintomas psíquicos negativos em ambientes pessoais ou profissionais.

Em um estudo sobre a definição das aptidões da inteligência emocional, Daniel Goleman destaca a categorização dessas aptidões definidas por Mayer e Salovey, e as divide em cinco domínios principais, descritos no quadro a seguir.

Os cinco domínios principais da inteligência emocional

1. **Conhecer as próprias emoções:** refere-se à capacidade de controlar sentimentos a cada momento, favorecendo o "discernimento emocional e a autocompreensão";

2. **Lidar com emoções:** como um facilitador do pensamento, diz respeito à atuação da emoção nos processos mentais de pensamento e inteligência, auxiliando no processo intelectual e promovendo a autoconsciência;

3. **Motivar-se:** diz respeito à busca do autocontrole e automotivação, colocando as emoções em prol de um objetivo principal;

4. **Reconhecer emoções nos outros:** se refere à precisão do indivíduo em identificar emoções e conteúdo emocional em si próprio e em outras pessoas. Promove a autoconsciência emocional e a empatia;

5. **Lidar com relacionamentos:** abrange a aptidão de lidar com as emoções dos outros. Sugere habilidades de popularidade, eficiência interpessoal e liderança.

Obviamente, as pessoas diferem em suas aptidões em cada um dos domínios citados, podendo ter mais habilidade em um e ser ineptas em outro. Mas, para esse autor, é possível remediar as falhas referentes a aptidões emocionais, pois os hábitos e respostas, com algum empenho, podem ser melhorados em cada um desses campos.

O conceito de inteligência emocional aplica-se também ao contexto laboral. O trabalho é uma das principais atividades da vida e as pessoas passam grande parte do seu tempo no ambiente de trabalho, o que tem impacto direto na sua saúde física e mental. E o equilíbrio no relacionamento com os colegas é influenciado pelo aspecto emocional, num lugar onde normalmente é difícil equilibrar a carga de responsabilidades e a quantidade de tarefas a serem realizadas com os fatores sociais envolvidos.

Quando há um baixo nível de inteligência emocional para manter a motivação e estabelecer boas relações com colegas, subordinados e superiores, a produtividade pode ficar comprometida.

Hoje, as referências no mercado de trabalho estão mudando. Atravessamos transformações sociais de grande impacto e profundas modificações na vida corporativa, com alterações nas profissões e nos vínculos trabalhistas organizacionais, as quais, ao lado dos efeitos desemprego e do subemprego, exigem habilidades diferenciadas.

> *Hoje, já não basta ser inteligente, nem ter uma boa formação acadêmica ou uma comprovada experiência profissional.*

Junto com tudo isso, é importante saber lidar consigo mesmo e com os outros. Isso agora é levado em conta pelas empresas na hora de elas fazerem contratações, promoções ou dispensas. Essa capacidade é o que é chamado de inteligência emocional.

Percebe-se que, no mundo corporativo, o que se espera dos indivíduos, hoje, na maioria das empresas, é a habilidade para lidar com as próprias emoções e com as dos outros, saber trabalhar em equipe e ter liderança.

A inteligência emocional seria então a capacidade de gerir os sentimentos e a expressão deles, para que as pessoas possam trabalhar em conjunto de forma tranquila e ter mais condições de alcançar seus objetivos.

Além da saúde e do trabalho, outras áreas são influenciadas pelas emoções. Quando pensamos nos relacionamentos amorosos e afetivos, a inteligência emocional se torna ainda mais crucial. Os desafios do casamento, os cuidados com os filhos e o relacionamento com pais e irmãos podem ficar mais simples com o uso da inteligência emocional. E um ponto fundamental para alcançar a inteligência emocional é conhecer a si mesmo, ter uma boa percepção dos sentimentos, na hora mesmo em que eles se manifestam. Gerenciar as emoções, expressar os sentimentos e entender os anseios e dores dos outros é fundamental para garantir a prosperidade nos relacionamentos pessoais e profissionais.

Nesse contexto, outra questão considerada neste livro é a questão de gênero. Assim sendo, o próximo item abordará a inteligência emocional feminina (IEF).

Inteligência emocional feminina

Se inteligência e emoção são dois temas polêmicos que, mesmo após vários estudos, ainda despertam interesse dentro e fora do ambiente acadêmico, existindo, para cada um deles, um vasto campo de teorização e pesquisa, o que esperar da abordagem sobre inteligência emocional feminina?

Não é possível tratar a inteligência emocional de homens e mulheres da mesma forma. Ainda que em 70% dos casos a maneira como se interpretam e se administram as próprias emoções possa ser igual para os gêneros masculino e feminino, as mulheres apresentam algumas particularidades bem diferentes dos homens.

Um exemplo é o aspecto biológico, que será abordado no próximo tópico, pois as alterações hormonais femininas durante os períodos pré-menstrual e menstrual devem ser seriamente consideradas como influenciadoras do estado emocional. Além disso, outros fatores, como culturas diversas, preconceitos e uma sociedade predominantemente machista, regida e influenciada por decisões masculinas, em que não encontramos mulheres no poder de maneira igualitária, geram uma condição opressora e influenciam diretamente os comportamentos emocionais das mulheres. A dificuldade de conciliar as tarefas domésticas, o cuidado com os filhos e o trabalho acadêmico é outro motivo de exclusão das mulheres.

Se levarmos em conta esse sistema em que a mulher é claramente excluída, ou colocada em uma condição de inferioridade ao homem, podemos perceber que haveria injustiça em tratar suas emoções da mesma maneira.

A inteligência emocional feminina é um tema de relevância na contemporaneidade, mas apesar disso, há poucos estudos específicos a respeito, os quais apresentam limitações metodológicas. Esse panorama aponta para a necessidade de investigações que demonstrem a importância e as potencialidades de se investir em mais estudos e pesquisas sobre a inteligência emocional feminina.

Para essa abordagem, faz-se necessário antes explicitar que, apesar do discurso da igualdade entre gêneros e da garantia dos direitos da mulher, existem muitas discrepâncias entre estudos realizados no que diz respeito a questões culturais, sociais e conceituais, que não serão profundamente abordadas neste livro.

Em um estudo publicado em 2018, o Instituto Brasileiro de Geografia e Estatística – IBGE (2018) reconhece que há diferenças entre homens e mulheres, as quais têm impacto decisivo na vida das pessoas, como se pode ver no texto reproduzido no quadro a seguir.

As diferenças e suas consequências, segundo o IBGE

Em todas as sociedades existem diferenças entre o que é esperado, permitido e valorizado em uma mulher e o que é esperado, permitido e valorizado em um homem. Essas diferenças têm um impacto específico sobre mulheres e homens em todas as fases da vida, e podem determinar, por exemplo, diferenças na saúde, educação, trabalho, vida familiar e no bem-estar geral de cada um [...].

> Na maioria das sociedades, há diferenças e desigualdades entre mulheres e homens nas funções e responsabilidades atribuídas, atividades desenvolvidas, acesso e controle sobre os recursos, bem como oportunidades de tomada de decisão. Essas diferenças e as desigualdades entre os sexos são moldadas ao longo da história das relações sociais, mudando ao longo do tempo e em diferentes culturas.

Produções acadêmicas e estatísticas sobre questões de gênero revelam essas diferenças e desigualdades e implicam a busca de respostas para questões específicas que afetam um sexo mais que o outro. Neste livro, enfocamos, especificamente, fatores que influenciam o bem-estar feminino e são motivadores do seu adoecimento no aspecto da inteligência emocional.

De acordo com a definição do IBGE no estudo citado, que utilizaremos como embasamento para este capítulo, a palavra "sexo" se refere às diferenças biológicas entre homens e mulheres. "Gênero", por sua vez, refere-se às diferenças socialmente construídas em atributos e oportunidades associadas com o sexo feminino ou masculino e às interações e relações sociais entre homens e mulheres.

Conhecer para mudar

Nesse cenário, tem-se a intenção de contribuir para que haja mudanças e possibilidades concretas na construção de relações de gênero mais democráticas, tanto nos relacionamentos pessoais como nos profissionais, mesmo porque concordamos com a ideia de que homens e mulheres fazem parte da mesma história, e não de mundos diferentes ou separados.

Dada a amplitude dos fatores relacionados ao ambiente feminino, optou-se por abordar quatro aspectos específicos:

1. histórico cultural e preconceito;

2. assentimento;

3. padrões excessivos de beleza impostos pela sociedade pelos meios de comunicação;

4. implicações biológicas nas emoções femininas.

Tais aspectos serão tratados pelo viés da inteligência emocional, e costurados tendo como base os domínios de autoconhecimento, autocompreensão, autoconsciência, automotivação, autocontrole e empatia, fundamentais para a construção da inteligência emocional feminina.

Considerando que inteligência emocional é a capacidade de reconhecer diferentes emoções e sentimentos e conseguir administrar todos eles sem grandes sofrimentos; para alguns esta parece uma tarefa fácil e muitos desenvolvem essa habilidade desde pequenos, porém, a maioria das mulheres precisa aprender ao longo da vida como lidar com as emoções no cotidiano.

Numa correlação entre inteligência cognitiva e emocional, avaliadas em testes de QI (quociente de inteligência) e de QE (quociente emocional), Daniel Goleman destaca, em um de seus muitos livros sobre inteligência emocional, que elas se fundem, mas "ainda assim, das duas, é a inteligência emocional que contribui com um número muito maior das qualidades que nos tornam mais plenamente humanos". Para esse pensador:

> As mulheres emocionalmente inteligentes (...) tendem a ser assertivas e expressam suas ideias de um modo direto, e sentem-se bem consigo mesmas; para elas, a vida tem sentido.

As doenças mentais e emocionais às quais as mulheres estão constantemente expostas implicam uma condição que leva à limitação das capacidades funcionais, tornando-as mais vulneráveis.

Fatores como alterações hormonais, a necessidade de autoconhecimento, domínio de informações para uma vida mais equilibrada e saudável e uma programação que concilie essas alterações para melhorar o desempenho nos períodos em que os hormônios estejam mais estabilizados, em tese, proporcionariam às mulheres melhores condições e qualidade de vida.

No capítulo 3, abordaremos especificamente as questões sobre o universo feminino, tema que, no passado, sempre esteve rodeado de preconceitos; talvez agora possamos pensar de forma mais desprendida sobre a condição feminina.

Fim de sessão

Nossa conversa neste capítulo abordou:

- ☑ Conceitos de inteligência emocional;
- ☑ As aplicações da inteligência emocional nas várias áreas da vida: trabalho, relacionamento, afetos;
- ☑ As diferenças das abordagens da inteligência emocional em relação ao gênero.

O FEMINIMO :
UM TEMA
PARA
REFLETIR

EU ME PINTO A MIM MESMA, PORQUE

eu sou quem me conhece melhor.

Frida Kahlo

Estimulada pelo machismo e pela ideia de inferioridade da mulher, a condição de igualdade entre homens e mulheres foi e ainda é motivo de acaloradas discussões.

No texto *Reflexão sobre o feminino*, publicado em 2012 na *internet*, o médico psiquiatra, psicoterapeuta e escritor Flávio Gikovate aponta que talvez tal discussão seja improdutiva, uma vez que homens e mulheres são diferentes. É o que podemos ver pela reprodução desse texto no quadro a seguir.

As diferenças entre homem e mulher, segundo Flávio Gikovate

O bom entendimento da questão perde nos dois casos, uma vez que a mulher não é inferior e nem igual ao homem, mas sim diferente, não havendo razão para que seja estudada, tomando-se como referência a condição masculina. Não deixa de ser surpreendente o fato de que nos deixamos governar muito mais por ideias, concepções e ideologias do que pelos fatos. As diferenças entre os sexos são óbvias e só mesmo a interferência de poderosos ingredientes emocionais pode levar homens e mulheres a defender ideias que não têm respaldo no mundo real. Quando tais ideias foram elaboradas por homens, ao longo dos séculos, a conclusão foi a inferioridade da mulher [...]. Quando, nas últimas décadas, as ideias sobre o tema foram elaboradas por mulheres, concluíram pela igualdade entre os sexos. Elas buscavam condições objetivas iguais às dos homens, o que é inegável direito, mas acabaram por generalizar suas concepções relativas a importantes aspectos da vida social; tentando, por exemplo, entender a sexualidade feminina e tomando por base a fisiologia dos homens. Sem perceber, elas os usavam como referência.

Meu objetivo principal neste capítulo é abordar alguns aspectos do feminino. Entretanto, pela influência cultural e pelos dados encontrados nas pesquisas, é muito difícil fazê-lo sem comparar homens e mulheres. Mas concordo com Flávio Gikovate quando ele diz que não é aconselhável se afirmar que a emotividade e a sensibilidade têm mais a ver com o feminino, e que racionalidade e agressividade são próprias do masculino.

Poucas vezes é fácil discernir isso, já que as pessoas com frequência ocultam sua verdadeira natureza diante da pressão social.

Acredito, como Flávio Gikovate, que o principal é identificar e iluminar o feminino e seu papel social, suas especificidades, suas relações pessoais e profissionais, independentemente do que a sociedade espera de cada um.

Feminino: um histórico de preconceito cultural

Neste tópico, levantamos alguns pontos de reflexão, sem o aprofundamento necessário que o tema mereceria, apenas para utilizá-los como base para abordar a inteligência emocional feminina.

É sabido que as mulheres têm uma experiência histórica e cultural diferente da masculina. Os papéis sociais desempenhados por ambos os sexos em boa parte da história da humanidade foram muito diferentes. As diferenças sexuais sempre foram levadas em conta ao longo dos séculos pelos mais distintos povos em todo o mundo.

A história nos mostra que as mulheres estiveram quase sempre encarregadas dos trabalhos domésticos, cumprindo as funções de esposa, mãe e cuidadora; e não tinham sua vontade e direitos considerados. Estavam submetidas aos homens e lhes deviam obediência.

> A cultura patriarcal e machista sempre colocou a mulher sob o controle constante do homem.

Antes do casamento ela era tutelada pelo pai ou pelos irmãos, depois pelo marido. Sua imagem esteve associada à ideia de uma fragilidade maior, de uma situação de total dependência.

Em artigo para a *internet*, identificado nas referências finais deste livro, Paulo Silvino Ribeiro liga as questões de gênero às relações sociais e aos papéis sociais. No caso, o papel da mulher é mais estudado, segundo ele, justamente pela desigualdade entre os sexos que a prejudica. Esse autor esclarece que, "enquanto o sexo da pessoa está ligado ao aspecto biológico, o gênero (ou seja, a feminilidade ou masculinidade enquanto comportamento e identidade) diz respeito a uma construção cultural, fruto da vida em sociedade". Para ele, "as coisas de menino e de menina, de homem e de mulher, podem variar temporal e historicamente, de cultura em cultura, conforme convenções elaboradas socialmente".

A característica patriarcal das sociedades permaneceu ao longo da história, mesmo na sociedade industrial, na qual o mundo do trabalho se separou do mundo doméstico. O patriarcado persistiu, mas as mulheres das camadas populares foram submetidas ao trabalho fabril, passando a ter uma dupla jornada. A elas cabia cuidar dos filhos, dos afazeres domésticos e também do serviço remunerado. E eram tidas como inferiores aos homens em sua capacidade.

No Brasil, somente na década de 1970, a mulher ingressou no mercado de trabalho de forma mais efetiva. Isso ocorreu, entretanto, em atividades relacionadas aos serviços de cuidadoras, como enfermeiras, atendentes, professoras, educadoras em creches, nos serviços de doméstica e em pequeno número na indústria e na agricultura.

Em fins do século XIX e início do século XX, a partir do momento em que o capitalismo se tornou a forma de organização econômica e social no mundo, a situação da mulher mudou um pouco. O capitalismo desagregou o patriarcado, mas o mesmo não se pode dizer do machismo, que continuou presente nas relações sociais na maioria das civilizações. Muitas mulheres tinham de ocupar posições subalternas nos âmbitos públicos, domésticos e empresariais, situação que persiste até os dias atuais. Muitas diferenças entre homens e mulheres no âmbito das relações sociais ainda permanecem.

Transformações notáveis foram observadas no mundo inteiro em termos de crescimento da atividade feminina nos últimos trinta anos. Mas, apesar das várias conquistas alcançadas nas questões trabalhistas, políticas e sexuais, as mulheres seguem sendo vítimas de preconceito.

Os dados indicam que a mulher ainda hoje não ocupa cargos de liderança e de diretoria na mesma proporção que os homens, e não por falta de qualificação. Podemos considerar o cargo de reitor em universidades como exemplo. Quando analisamos o contraste entre o total de mulheres que exercem o magistrado e a quantidade delas que ocupa a função de reitora, podemos ver a disparidade.

Um estudo apresentado pelo Instituto de Matemática Pura e Aplicada (Impa), realizado pela pesquisadora Carolina Brito (2018), da Universidade Federal do Rio Grande do Sul (UFRGS), mostra que as mulheres são minoria nas reitorias. Ele informa que, nas universidades federais brasileiras, das pessoas que ocupam o cargo de reitor, 44 são homens e 19 são mulheres, o que equivale a 28,3%. Já na Academia Brasileira de Medicina, apesar de as mulheres serem maioria entre os formandos, em torno de 55%, há apenas cinco delas entre os 115 membros, o que representa 4,3%.

A pesquisadora ressalta ainda que, quando se olham os números de maneira geral, as mulheres são as que mais se formam. Ela destaca o que chama de "efeito tesoura", que afasta as mulheres da carreira, insistindo também no fato de que o percentual de mulheres diminui com o avanço da idade.

> *Em diretorias de institutos, bolsas de produtividade, de prestígio, há muito mais homens. Na física, dentre as formadas, 30% são mulheres. Em mestrado e doutorado, esse número cai para 20%. Já dentre professoras, são 15% e, na Academia Brasileira de Ciências, apenas 5%.*

Na tentativa de reduzir danos e melhorar aspectos gerais da humanidade, existem iniciativas mundiais, como a Agenda 2030, um conjunto de programas, ações e diretrizes que orientará os trabalhos da Organização das Nações Unidas (ONU) e dos países-membros rumo ao desenvolvimento sustentável.

O estudo mede a desigualdade de gênero em quatro categorias: educação, saúde e sobrevivência (expectativa de vida), participação econômica e oportunidade (que analisa participação na força de trabalho, renda estimada, paridade de salários e cargos assumidos por mulheres) e política (mulheres no parlamento, em posições ministeriais e como chefes de Estado).

Dos objetivos assumidos como compromisso pelos estados-membros consta um que nos interessa plenamente, o de número 5:

"Alcançar a igualdade de gênero e empoderar todas as mulheres e meninas". Os termos dele são mostrados no quadro a seguir:

Objetivo número 5 da agenda 2030

1. Acabar com todas as formas de discriminação contra todas as mulheres e meninas em toda parte.

2. Eliminar todas as formas de violência contra todas as mulheres e meninas nas esferas públicas e privadas, incluindo o tráfico e exploração sexual e de outro tipo.

3. Eliminar todas as práticas nocivas, como casamentos prematuros, forçados e de crianças e mutilações genitais femininas.

4. Reconhecer e valorizar o trabalho de assistência e doméstico não remunerado, por meio da disponibilização de serviços públicos, infraestrutura e políticas de proteção social, bem como a promoção da responsabilidade compartilhada dentro do lar e da família, conforme os contextos nacionais.

5. Garantir a participação plena e efetiva das mulheres e a igualdade de oportunidades para a liderança em todos os níveis de tomada de decisão na vida política, econômica e pública.

6. Assegurar o acesso universal à saúde sexual e reprodutiva e os direitos reprodutivos, como acordado com o Programa de Ação da Conferência Internacional sobre População e Desenvolvimento e com a Plataforma de Ação de Pequim e os documentos resultantes de suas conferências de revisão.

7. Realizar reformas para dar às mulheres direitos iguais aos recursos econômicos, bem como o acesso à propriedade e controle sobre a terra e outras formas de propriedade, serviços financeiros, herança e os recursos naturais, de acordo com as leis nacionais.

8. Aumentar o uso de tecnologias de base, em particular as tecnologias de informação e comunicação, para promover o empoderamento das mulheres.

9. Adotar e fortalecer políticas sólidas e legislação aplicável para a promoção da igualdade de gênero e o empoderamento de todas as mulheres e meninas em todos os níveis.

Em todos os lugares se buscam alternativas para melhorar a vida das pessoas, mas os indicadores mostram que o caminho a ser percorrido para conseguir a igualdade entre mulheres e homens ainda é longo e trabalhoso. Esses indicadores trazem a oportunidade de refletir sobre o papel atual e sobre o papel esperado das mulheres na sociedade, assim como sobre as desigualdades persistentes entre homens e mulheres em suas distintas dimensões de análise. Dessa forma, medir e analisar a situação das mulheres em relação à dos homens estimula a mudança no caráter da discussão sobre a igualdade de gênero, saindo do passional e do superficial para um posicionamento pautado em dados objetivos, documentados e monitorados.

> *O machismo, a intolerância e o preconceito de gênero são pilares que sustentam a violência contra a mulher ao longo da história da humanidade, principalmente se ela não tem um trabalho, independência financeira, independência psicológica ou formação intelectual.*

O jornalista Gilberto Dimenstein, citado pelo estudioso Sérgio Gomes da Silva, aborda a questão da violência contra a mulher como um ataque aos direitos humanos e nos diz que "a violência contra a mulher viola os direitos humanos e se torna uma bandeira de luta não só para as mulheres, mas também para todo aquele que compreende como universal a igualdade entre todos e o reconhecimento do outro como um de nós". Ele salienta que essa violência surge de pensamentos estereotipados, numa sociedade que precisa se renovar, deixando de ver a mulher como um ser inferior ao homem e de favorecer as agressões contra ela.

As mulheres já conquistaram muitas coisas e seguem conquistando, mas na prática os números ainda mostram uma realidade muito diferente, de uma sociedade não igualitária, preconceituosa e violenta. O problema se agrava quando pensamos que:

> *A mulher precisa de equilíbrio emocional suficiente para lidar com as emoções de uma família com filhos e marido.*

O que significa que ela se vê diária e diretamente diante de perfis comportamentais, emoções, pensamentos e sentimentos diferentes. Além disso, na sociedade atual, é comum se atribuir à mulher a responsabilidade pelo sucesso ou insucesso da educação dos filhos.

Assim, a violência não pode ser entendida apenas pelo aspecto físico. Sérgio Gomes da Silva destaca que a violência sofrida todos os dias pelas mulheres está enraizada no "imaginário coletivo da nossa sociedade", enfatizando que não são só os homens, mas também muitas mulheres que legitimam a subordinação ao domínio do poder masculino. Segundo ele, "a violência contra as mulheres está velada no mascaramento e na subordinação da nossa linguagem cotidiana, no uso de expressões e de diversos jogos de linguagem, nas palavras de duplo sentido, na criação de referenciais para dar conta de uma realidade que não é a mais condizente com o seu papel na sociedade". E, segundo seu ponto de vista, ela também surge "na criação de estereótipos que moldam formas singulares de preconceito e discriminação através de personagens da vida cotidiana, tais como a doméstica, a dona de casa, a professorinha, a mãe e a garota de programa estilo exportação, dentre tantos outros tipos (...)". Para esse autor, a imagem feminina se converteu em objeto de consumo, com a consequente exploração pela mídia, servindo ao comércio e inclusive ao turismo sexual.

Em minhas experiências como *master coach*, palestrante, me deparo constantemente com a debilitação emocional de mulheres, sobretudo com idade acima dos trinta anos, casadas, com filhos e que trabalham fora por no mínimo quarenta horas por semana, sem contar as responsabilidades domésticas.

A sociedade cobra dessas mulheres – assim como elas próprias o fazem – a responsabilidade de manter um relacionamento saudável com o marido. E elas se tornam inseguras no relacionamento devido a comparações que envolvem beleza e sexualidade. Não bastasse tudo isso, elas se sentem responsáveis pelo direcionamento de cada um dos filhos de acordo com sua personalidade, desejos e vontades, por acompanhar a evolução tecnológica, aprender como são as crianças *hi-tech*, ou seja que gostam de lidar com engenhocas da tecnologia, aprender a entrar no mundo delas sem ferir sentimentos e sem se chocar diretamente com eles, já que elas integram uma geração regida por costumes diferentes.

A sobrecarga doméstica e profissional já mencionada e a falta de tempo para cuidar de si mesma tanto no aspecto mental quanto no emocional são fatores que contribuem para o aumento de síndromes, como a síndrome de *burnout* ou esgotamento e o aumento dos níveis de depressão e ansiedade em mulheres no mundo todo.

De acordo com o Ministério da Saúde do Brasil, a síndrome de *burnout* acomete os trabalhadores provocando o esgotamento profissional. Como afirma esse órgão, trata-se de um "tipo de resposta prolongada a estressores emocionais e interpessoais crônicos no trabalho". Ela resulta da convivência profissional em um ambiente desafiador, que envolve vários tipos de relação social, diferentes de uma época em que o trabalhador podia se envolver de forma afetiva com clientes ou pacientes. Na situação atual, ainda segundo o Ministério da Saúde, ele "desgasta-se e, em um dado momento, desiste, perde a energia ou se 'queima' completamente".

Segundo estimativa da Organização Mundial da Saúde (OMS), os transtornos mentais menores acometem cerca de 30% dos trabalhadores ocupados, e os graves, cerca de 5 a 10%. Diante desse cenário, percebe-se que existe uma crescente confusão mental gerada também pela sobrecarga das atividades femininas e pelo baixo nível de inteligência emocional.

De forma geral, notam-se impactos em todas as áreas, e o caminho a ser percorrido em direção à igualdade de gênero, ou seja, em um cenário onde homens e mulheres gozem dos mesmos direitos e oportunidades em todas as dimensões, ainda é longo e exige atuação constante por parte de todos, pois se trata de igualdade e melhoria para a humanidade.

É contra esse sistema de crenças e contra toda forma de violência que devemos nos posicionar. Para Sérgio Gomes da Silva, "a busca por um ideal de solidariedade humana, a luta contra as discriminações e os preconceitos muito bem arraigados em nossa cultura e, principalmente, o desejo de uma sociedade mais tolerante, mais justa, menos violenta e eticamente possível são crenças absolutas de uma sociedade e de um grupo de pessoas que acreditam que vale a pena lutar por algumas utopias (...)". Esse autor considera que tais utopias são necessárias no mundo de hoje, em que se dá menos valor aos direitos e deveres. E complementa: "A criação, portanto, de uma sociedade mais tolerante é também a criação de uma sociedade mais ética ao admitirmos ou reconhecermos o outro como se fosse um de nós, ou seja, ao passarmos a tolerar mais aquele que nos é semelhante".

Sabemos, porém, que, em meio a um cenário assustador de estatísticas de desigualdades, ainda há muitas barreiras a serem quebradas, muitos direitos a serem conquistados e muitas medidas preventivas a serem incorporadas pelas políticas públicas.

Diante do grande desafio estrutural da sociedade no combate às desigualdades, é importante considerar alguns dos domínios da inteligência emocional já citados, fundamentais para a construção da inteligência emocional feminina de forma estruturada.

> *Muito se fala sobre o empoderamento feminino, entretanto este parece impossível sem que as mulheres tenham percepção de quem realmente são por meio da autoconsciência e do autoconhecimento. É pouco provável que a mulher possua uma definição clara do seu papel na sociedade, na família, no trabalho, e acredite que é possível se livrar de amarras, como preconceitos, machismo e desigualdades, sem que alcance autocompreensão e automotivação para se entender como ser humano.*

> *A discussão não é sobre ser superior aos homens.*

Muito pelo contrário, a busca é pela igualdade feminina, pelos mesmos direitos dentro de diferentes lugares, de setores de atuação tanto do homem quanto da mulher. Trata-se de encontrar alternativas que reduzam o abismo entre os direitos, pela possibilidade de as pessoas se ensinarem mutuamente a se verem como iguais, pelo investimento em programas de saúde e educação como perspectiva de mudança de atitudes em prol de uma sociedade mais justa e igualitária.

Talvez não seja uma tarefa simples nem fácil, mas, conforme nos sinaliza Daniel Goleman, devemos levar a sério as implicações das descobertas da ciência: "Ajudar as pessoas a lidar melhor com sentimentos incômodos como a raiva, ansiedade, depressão, pessimismo e sensação de solidão é uma forma de prevenir doenças", afirma ele. Assim, a inteligência emocional feminina passa a se constituir em um fator de suma importância para que as relações familiares sejam cada vez mais saudáveis e mais fortalecidas.

O conceito de inteligência emocional nos ensina que as emoções são tóxicas, e que, se as mulheres passassem a realizar a gestão de suas emoções, provavelmente teriam qualidade de vida superior e uma vida mais equilibrada, podendo influenciar mais positivamente as novas gerações.

Os preconceitos e as desigualdades históricas apresentados não são fatores únicos do sofrimento emocional imposto às mulheres. Muitas doenças emocionais são ocasionadas pela pressão da mídia e da sociedade, como é o caso dos padrões excessivos e inatingíveis de beleza, que abordamos a seguir.

Padrões excessivos de beleza

Apesar das mudanças sócio-históricas e das conquistas conseguidas, muitas mulheres ainda não se percebem como seres completos; sentem-se presas na corrida, não cruzaram a linha de chegada e não receberam seu troféu. Vemos muitas mulheres estudando, se graduando, trabalhando e aumentando o padrão de vida, porém poucas delas se consideram realizadas, algo que ocorre por não compreenderem qual é seu verdadeiro papel, não se entenderem em sua própria existência.

> *Identificar o que lhe é próprio e o que lhe é imposto pela sociedade é algo ainda muito difícil para a maioria das mulheres. Aprender a distinguir entre aquilo que se deseja, aquilo que se é e o que a sociedade diz que se deve desejar ou ser é um exercício a ser praticado diuturnamente.*

O pensador Sérgio Gomes da Silva, no artigo "Preconceito e discriminação", publicado na *internet* e citado nas referências ao final deste livro, chama a atenção para as formas disfarçadas pelas quais o preconceito vai sendo introduzido no dia a dia das pessoas, por meio de imagens e representações. Segundo ele, "o exemplo disseminado pela mídia é mais do que suficiente ao ensejar no imaginário social coletivo a imagem da mulher como produto de consumo". Há muito tempo podemos ver a infelicidade estampada no rosto de milhares de mulheres que não se aceitam e buscam alcançar um ideal de beleza produzido, artificial e inatingível.

Muitas pesquisas realizadas nos últimos anos apontam para a questão da distorção da imagem corporal e das implicações que fatores sociais e psicológicos exercem sobre as pessoas.

Uma delas, citada por Adriana Trejger Kachani, em sua tese de doutorado, afirma que uma excessiva preocupação pode gerar um sentimento de fracasso e incapacidade, a ideia de não encarnar um ideal de beleza, o que coloca em xeque a autoestima.

> *A aparência é um fator que gera muita preocupação e interesse no cenário feminino.*

Muito se investe em tempo e dinheiro para atingir o ideal imaginário. Os padrões de beleza femininos determinados pela sociedade tornam a busca por um corpo ideal e perfeito uma tortura, produzindo uma sensação de desconforto com a própria imagem.

A impressionante influência da mídia sobre as mulheres reproduz desejos captados e os transforma em aspirações. Como diz Rachel Moreno, no livro *A beleza impossível*, "as pobres mulheres incautas, do outro lado do anúncio, acreditam piamente nessa beleza, incorporam-na como desejável, natural e possível, querem-na para si. E cobram isso de si mesmas".

> *A partir do século XX, o corpo tornou-se demasiadamente valorizado, uma característica das sociedades contemporâneas.*

A reafirmação da identidade feminina e o desejo das mulheres de serem vistas têm sido enfatizados na procura do ideal de beleza. Com o avanço da tecnologia e com a exposição diária do culto à beleza nas revistas de moda e saúde, o corpo natural passa a ser substituído pela valorização e pelo desejo de um corpo musculoso, magro e bem definido. Aumenta-se a quantidade de cremes e loções disponíveis para corrigir todas as imperfeições na mesma proporção que crescem os registros de ansiedade, sentimentos de inadequação, baixa autoestima e transtornos alimentares, como anorexia e bulimia. As emoções são diretamente influenciadas pelo padrão excessivo de beleza imposto e interferem na construção da imagem mental.

Muitas campanhas midiáticas, por estimularem o consumismo da beleza e usarem mulheres como objeto, causam discussões polêmicas. Em sua tese sobre anúncios publicitários e identidade de gênero, o estudioso James Deam Amaral Freitas apresenta uma visão sobre as campanhas e a importância que se confere à categoria "beleza". Ele aponta que as revistas femininas e a publicidade atribuem uma importância especial à beleza, unindo informações estéticas ao consumo. Segundo ele, "essa foi, sem dúvida, a categoria mais explorada nos anúncios analisados e, de certa forma, perpassa todas as outras". Para ele, as matérias sobre beleza e moda são apoiadas por mensagens publicitárias que estimulam uma visão consumista da beleza. "Os anúncios publicitários analisados, de um modo geral, aliam a noção de feminilidade à beleza, insistem na ideia de que esse é um meio para alcançar felicidade, amor, dinheiro e realização", diz ele. O que leva a pensar que o autoembelezamento é algo que tem de ser obtido a qualquer custo, criando a mulher a tarefa de se esforçar o tempo todo para aperfeiçoar seus atrativos físicos.

Diante de um cenário aprisionador e sutil, que acena com a conquista de uma vida plena e feliz, muitas mulheres se veem enredadas em promessas ilusórias. Jacira de Melo, diretora-executiva do Instituto Patrícia Galvão, se preocupa com a repercussão que esse tipo de publicidade pode ter. Ela considera que a televisão tem muita influência sobre os jovens e ajuda a reforçar uma visão estereotipada do homem e da mulher que pode ser muito prejudicial para esse segmento da população. Para ela:

> *Ao pedir que as mulheres exerçam o charme para resolver conflitos, a relação de respeito entre homens e mulheres é desprezada. É um caso em que a publicidade não é lúdica ou satírica, pois ela usa o imaginário e os estereótipos justamente para vender uma marca, um produto.*

A psicóloga Adriana Perassi Bosco, em tese de mestrado, ao abordar a questão da mulher como objeto, coloca:

> *Se representar a mulher significa oferecê-la a um olhar, é realmente complexo desconstruir os condicionamentos culturais desse olho: a mulher como objeto, corpo, natureza, acessório, ideal inalcançável de pureza ou pedaço de carne pornográfico.*

Segundo ela, essa situação iria originar um paradoxo: "O corpo feminino, indicado em inúmeros discursos sociais como o marcador incontestável de uma diferença, é interdito, e para poder se retirar de redes de significação que o colocam como objeto de fetiche, as próprias mulheres artistas acabam por abstraí-lo ou torná-lo repulsivo".

Instaura-se novamente a confusão mental e emocional que assombra grande parte das mulheres. Augusto Cury, em seu livro *Gestão da emoção*, destaca o papel que a sociedade desempenha no agravamento da insatisfação pessoal, classificando-a como uma sociedade de consumo desumana, que explora o corpo da mulher (em vez de valorizar sua inteligência), favorecendo uma espécie de consumismo erótico. Em sua visão, "esse sistema não tem por objetivo produzir pessoas resolvidas, saudáveis e felizes; a ele interessam as insatisfeitas consigo mesmas, pois quanto mais ansiosas, mais consumistas se tornam". Para ele, o padrão de beleza veiculado pela mídia "penetrou no inconsciente coletivo das pessoas e as aprisionou no único lugar em que não é admissível ser prisioneiro: dentro de si mesmas".

É sabido que a prisão à qual esse autor se refere é cárcere para milhares de mulheres em todo o mundo. Reflete uma triste realidade que asfixia e destrói silenciosamente. Cury cita o caso de modelos jovens e de sucesso que detestavam o próprio corpo e chegavam a pensar em desistir da vida. Ele considera que "qualquer imposição de um padrão de beleza estereotipado para alicerçar a autoestima e o prazer diante da autoimagem produz um desastre no inconsciente, um grave adoecimento emocional".

> *Muitas mulheres desconhecem o poder de suas emoções, o impacto que elas causam na sua saúde emocional e física.*

E desconhecem, principalmente, que podem tê-las como aliadas para sua liberdade emocional. Daniel Goleman adverte que "as emoções que fremem abaixo do limiar da consciência podem ter um poderoso impacto na maneira como percebemos e reagimos, embora não tenhamos ideia de que elas estão atuando". Quando uma emoção é trazida à consciência, a pessoa tem a possibilidade de reavaliar de uma nova perspectiva e escolher a forma como reagirá diante da situação. A autoconsciência emocional acaba sendo uma das bases da inteligência emocional. Augusto Cury, em seus estudos sobre inteligência multifocal, nos ensina que é necessário compreender "o complexo processo de interpretação da realidade, isto é, como percebemos a nós mesmos e o mundo" por meio dos pensamentos conscientes e inconscientes e de processos emocionais que distorcem a realidade.

Diante do cenário de desigualdades e de opressão à mulher vivenciado em diversos aspectos da vida, compreender a importância de aprender a elevar o nível de inteligência emocional torna-se imprescindível para questionar "crenças unifocais", ou seja, crenças que enxergam os eventos sob um único ângulo e, com isso, desconsideram outros aspectos vitais para as relações pessoais saudáveis.

Para Augusto Cury, nossa felicidade e nossa saúde só acontecem quando protegemos nossa mente e investimos na felicidade e no bem-estar dos outros. Segundo esse autor, a escravidão que vitimiza milhares de mulheres pelos excessivos padrões de beleza impostos pela sociedade também impõe uma "necessidade neurótica de sermos perfeitos". Para ele, "quem não exercita a autoconsciência vive a pior de todas as solidões, a solidão na qual ele mesmo se abandona. Caminha sem metas, fadiga-se sem propósito, navega sem direção no oceano da existência". E completa:

> *Quem não treina a autoconsciência, não se questiona, não desenvolve consciência crítica, nem dá sentido à sua existência; torna-se um zumbi social, facilmente manipulável, adestrável ou encarcerado por seus fantasmas mentais ou por ideologias radicais.*

Faz-se necessário trazer à tona vários fatos para que a mulher esteja consciente das suas conquistas. Quantas mulheres precisaram morrer ou entrar em embates para que hoje outras pudessem usar uma calça *jeans*? Quantas mulheres precisaram sofrer e lutar para que todas pudessem votar, trabalhar e gozar de direitos e poderes: direito de dirigir, direito de ter voz e vez, poder de decidir, poder de escolher a própria roupa. Mas de maneira estranha ou talvez pelo desvio da atenção para outros fatos e até mesmo por uma "distração", as novas gerações não carregam consigo a força dessa consciência, as mulheres se esqueceram de suas conquistas, posto que, progredindo lentamente, não continuaram a buscá-las, solidificá-las e valorizá-las.

Novamente, destaco a necessidade de desenvolver a inteligência emocional para se conhecer as vontades e as imposições culturais impostas e se dissociar delas.

> *A inteligência emocional se apresenta como uma ferramenta necessária para que as mulheres voltem ao seu eixo natural.*

Exercer o conhecimento das próprias emoções e saber lidar com elas para promover a automotivação mostram-se como um caminho para enfrentar a imposição massacrante do padrão de beleza que a sociedade prega e é intensamente divulgado pela mídia e pelas indústrias de cosméticos, de moda, de cirurgias, entre outras.

A seguir, vamos abordar outro aspecto de desigualdade que vem causando desconfortos emocionais, tristezas, depressão e desvalorização do ser mulher. Falaremos sobre a atuação feminina no mundo do trabalho e sua representatividade em cargos de decisão.

Mulheres em cargos de destaque: prováveis implicações

Alguns questionamentos merecem ser feitos neste momento. O que realmente acontece para que as mulheres não tenham oportunidades iguais ou mesmo a predisposição para ocupar os mais altos cargos de liderança, tanto no âmbito privado como no governamental? Seria a falta de apoio ou de incentivo? Seriam os preconceitos instaurados culturalmente? Seria o excesso de atribuições domésticas? Seria a falta de inteligência emocional?

Há muitas restrições que prejudicam o desempenho profissional da mulher, assim como afetam suas relações sociais e familiares.

O não amadurecimento emocional, por exemplo, causa muitas dificuldades de desfrute da vida em geral. Enquanto muitas mulheres deixarem de trabalhar a autoconsciência, de promover uma autoestima elevada e continuarem se submetendo aos sistemas impostos, contentando-se com o papel de protegidas, fragilizadas e submissas ao homem, será ainda mais difícil encontrar um caminho para o definitivo empoderamento feminino.

A reprodução legítima e sistemática da desigualdade de gênero é cada dia mais consolidada pelos papéis sociais e valores culturais tradicionalmente associados a homens e mulheres que ainda estão incorporados às estruturas legais, econômicas e políticas.

Com relação ao trabalho e de acordo com o estudo de Estatísticas de Gêneros realizado pelo IBGE, as mulheres ainda são minoria no topo da hierarquia do setor público e privado. Embora representem pouco mais da metade (51,7%) dos trabalhadores brasileiros, somente 39,10% delas estão em cargos gerenciais no país, o que mostra que ainda persiste a exclusão feminina na distribuição dos cargos de liderança.

Segundo o mesmo estudo, constata-se que o governo brasileiro reproduz a desigualdade de gênero no país. Dos 29 ministérios somente um era ocupado por mulher. Dos deputados, apenas 10,5% eram mulheres, em dezembro de 2017. No Senado, a situação mostrava-se igualmente preocupante: só 16% dos senadores eram do sexo feminino. Entretanto, os partidos alegam cumprir a cota de 30% destinada às candidatas mulheres.

Participação feminina em cargos decisórios

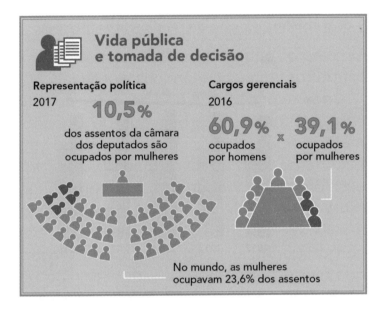

Fonte: IBGE, Diretoria de Pesquisas, Coordenação de População e Indicadores Sociais.

Em relação aos rendimentos médios, as mulheres têm cerca de ¾ do que os homens recebem. Segundo o estudo citado, "contribui para a explicação desse resultado a própria natureza dos postos de trabalho ocupados pelas mulheres, em que se destaca a maior proporção dedicada ao trabalho em tempo parcial".

Rendimento médio salarial

Fonte: IBGE, Pesquisa Nacional por Amostra de Domicílios Contínua 2012-2016.

Apesar de lento, o processo de mudança dos padrões culturais de gênero vem amenizando as tradicionais barreiras à entrada das mulheres no mercado de trabalho e elevando os níveis de escolaridade delas nos últimos trinta anos. Mas, mesmo com o aumento da escolaridade feminina em relação aos homens, a estrutura ocupacional ainda mostra muita desigualdade.

Escolaridade feminina

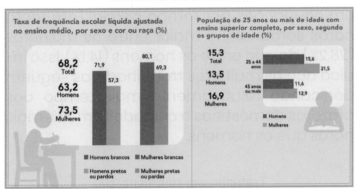

Fonte: IBGE, Pesquisa Nacional por Amostra de Domicílios Contínua 2016.

Nos Estados Unidos, a questão da luta pela igualdade de gênero e pelo empoderamento feminino está relacionada também a um problema estrutural que transcende governos e partidos. Raquel Godos, em reportagem sobre a realidade das mulheres naquele país, que tem a maior economia do mundo, chama a atenção para o fato de que as mulheres lidam com a desvalorização de sua força de trabalho, "ganhando em média 83% do salário dos homens pela mesma função, e no Congresso elas contam apenas com 20% de representatividade". Outro aspecto a se considerar e que contribui para o afastamento da mulher do mundo do trabalho é que, nos Estados Unidos, as mulheres que se tornam mães têm, por lei, direito a doze semanas de licença sem receber benefício monetário.

A proporção de trabalhadores brasileiros em ocupações por tempo parcial (até trinta horas semanais) é maior entre as mulheres (28,2%) do que entre os homens (14,1%). Isso indica que as mulheres trabalhadoras seguem dedicando relativamente mais tempo aos afazeres domésticos e cuidados em 73% mais horas que os homens.

Trabalho em tempo parcial

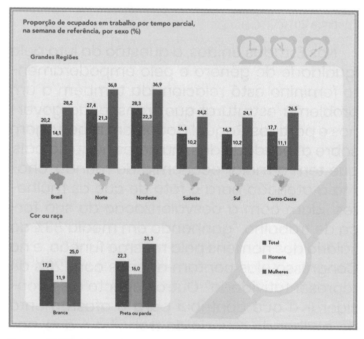

Proporção de ocupados em trabalho por tempo parcial, na semana de referência, por sexo (%)

Fonte: IBGE, Diretoria de Pesquisas, Coordenação de População e Indicadores Sociais.

Diante desse indicador, podemos destacar uma das prováveis implicações para o afastamento das mulheres dos altos cargos de liderança: a divisão das tarefas domésticas entre os cônjuges. Apesar das mudanças sociais e dos arranjos no âmbito familiar, sabe-se que continua recaindo sobre a mulher o maior peso, a tarefa assumida pela maioria delas de cuidar da casa e das crianças, fazer compras, arrumar, lavar e passar. O homem ainda tem dificuldade de compartilhar de forma igualitária tais atividades.

Para abordarmos de forma mais específica a questão das divisões de tarefas domésticas nas famílias, é necessário pontuar historicamente, ainda que de forma não tão ampla, a formação da família. Vendo o passado, verificamos que sempre houve indivíduos que, de alguma forma, estabeleceram vínculos importantes, os quais podemos chamar de vínculos familiares. O estabelecimento de vínculos é inerente ao ser humano. A instituição familiar passou por mudanças em seu contexto e foi se adaptando às influências sociais, psicológicas e culturais sofridas, em diferentes épocas e lugares.

A pesquisadora Arlene Skolnick, em texto citado por Bernardo Jablonksi, relembra que a família possui um padrão herdado ao longo da história e que também sofre com o impacto das transformações. Ela salienta que a definição de família, como a que havia nos anos 50, em que o homem trabalha e a mulher cuida da casa, já não se aplica a todos os casos. Segundo ela, "esse modelo, dividido em rígidas esferas e visto como tradicional, foi, historicamente, apenas uma primeira versão do que chamamos de família moderna". Porém, embora esse modelo esteja perdendo espaço, é preciso reconhecer que ele influenciou intensamente os ideais de casamento e de papéis de gênero.

O peso da cultura é sentido nesse aspecto, persistindo uma visão conservadora e tradicional dos papéis de homens e mulheres com relação ao cuidado dos filhos e afazeres domésticos. Dessa forma, as mulheres se desdobram em múltiplos papéis, numa divisão desigual de responsabilidades, com isso esquecendo-se delas próprias.

> *Quando nos damos conta que as mulheres recebem salários inferiores aos homens, percebemos uma grande dificuldade em mudar essa situação ancorada numa visão dominante e machista.*

A mulher permanece responsável pelas tarefas, sem ter igualdade salarial. Entretanto, apesar de lento, o movimento das mulheres no mercado de trabalho vem transformando as relações de gênero com impacto nos casamentos, na educação dos filhos e na divisão das tarefas.

Apesar das consequências emocionais e adoecimentos percebidos na população feminina, pelas conquistas obtidas ao custo de muito esforço, parecem ser cada vez mais comuns as relações em que um dos parceiros **é responsável sozinho pelo sustento da família**. A busca de um trabalho fora de casa é um atrativo para a mulher, já que lhe permite melhorar seu padrão de vida e ao mesmo tempo lhe oferece uma forma de se realizar em termos pessoais e sociais. Entretanto, Bernardo Jablonski chama a atenção para o fato de que "essa situação de disparidade de papéis seria vivenciada pelas mulheres, aparentemente, de forma dolorosa, uma vez que há uma promessa no ar de igualdade de funções, alimentada por atitudes dos próprios homens, o que ocasiona uma expressiva fonte adicional de conflitos dentro de uma área já suficientemente carregada de problemas". Para esse pesquisador, existe a possibilidade de as mulheres se sentirem traídas e sobrecarregadas, posto que na prática uma divisão igualitária muitas vezes não acontece. E elas acabam sendo afetadas pela solidão em seu dia a dia.

Um dos maiores problemas enfrentados pelas mulheres que trabalham de forma remunerada é conciliar o trabalho e a família. De acordo com o relatório em âmbito mundial feito em conjunto pela Organização Mundial do Trabalho (OIT) e pela empresa de pesquisas Gallup (2017), 70% das mulheres e 66% dos homens entrevistados entendem que as mulheres devem ter trabalhos remunerados. O relatório mostra também que as mulheres preferem ter trabalhos remunerados (29%) ou estar em situações em que poderiam trabalhar e cuidar de suas famílias (41%). Apenas 27% delas querem ficar em casa, no trabalho não remunerado. A pesquisa consultou quase 149 mil pessoas em 142 países e territórios, incluindo o Brasil.

Como em outras áreas de desigualdades, há ainda um imenso caminho a ser percorrido no que se refere à igualdade na divisão dos afazeres domésticos. Algumas pesquisas, entretanto, mostram que muitas mulheres dizem não encontrar dificuldades nessa conciliação, mas enfrentam o acúmulo de tarefas, tido como normal, mesmo que várias vezes precisem abrir mão do descanso ao final do dia ou nos fins de semana para organizar a casa.

Sabemos que o peso da questão de gênero e poder é um fator arraigado na estrutura mental da sociedade e que influencia inclusive o pensamento das mulheres. Muitas delas acreditam que a discussão sobre igualdade de gênero é "coisa de feminista", um incômodo, um movimento para que as mulheres superem os homens, como se fosse algo que deveria permanecer como está. Na verdade, o desejo é que haja mais oportunidades de igualdade, homem sendo homem e mulher sendo mulher, e que não sejam considerados melhores ou piores por serem como são.

Independentemente desse movimento em prol da igualdade de gênero, as diferenças continuam sendo mostradas pelos indicadores. Estudo divulgado pela Folha de S. Paulo (2017) registra que "meninos lideram, fazem grandes descobertas científicas e são muito, muito inteligentes. As meninas, nem tanto". Esse resultado foi identificado após pesquisadores americanos entrevistarem 400 crianças de 5 a 7 anos. Os resultados indicam que, ao longo dos anos, o estereótipo de que os meninos são mais inteligentes "afasta jovens mulheres de carreiras supostamente associadas à ideia de genialidade".

Em divulgação no site G1, de 2017, a pesquisa Women in Business, feita com mais de 2.500 empresas em 36 países, mostra que "as mulheres já representam mais de 49% do mercado de trabalho mundial, segundo a OIT, mas ainda têm pouca representatividade em cargos de liderança". Em 2016, o índice era de 11%. Em 2015, de apenas 5%. Nos Estados Unidos, o número de empresas que não possui mulheres líderes é de 31%. De acordo com o estudo, as mulheres "não chegam ao mercado de trabalho em posição igualitária com os homens e isso afeta sua ascensão aos cargos mais elevados".

Nos Estados Unidos, como forma de conciliar vida pessoal e trabalho e na busca de conquistar mais espaços, mais mulheres têm se lançado no mercado como empreendedoras. De acordo com divulgação da Agência Brasil, um levantamento do Instituto de Desenvolvimento para Empreendedorismo do Conselho Nacional de Mulheres Proprietárias de Empresas mostrou que 31% das empresas americanas pertencem a mulheres. Uma em cada cinco tem receita superior a 1 milhão de dólares. O estudo mostrou ainda que em 2017 existiam mais de 9,4 milhões de empresas pertencentes a mulheres nos Estados Unidos. Em 2015, estas eram 9,1 milhões, e, portanto, 300 mil novas empresas geridas por mulheres foram criadas no período. A receita estimada gerada foi de 1,7 trilhão de dólares nos últimos três anos.

Alguns desafios encontrados pelas mulheres no mundo corporativo estão diretamente relacionados com a condição e capacidade de conciliar profissão e família; o que, de forma geral, não é discutido no caso dos homens. A dedicação da mulher ao trabalho é, normalmente, questionada pelas gerências e recrutadores, em comparação à dedicação do homem. Questionamentos quanto a poderem trabalhar em horário especial, fazerem viagens de negócio, atuarem em atividades extras, participarem de congressos e convenções sem terem problemas com a família, assim como em relação ao desejo de ser mãe e à postura diante de uma equipe masculina permeiam diariamente o mundo das mulheres.

Considerando os indicadores apresentados e seus resultados, podemos ter uma visão parcial do cenário enfrentado pelas mulheres no Brasil, o que nos permite compreender os desafios decorrentes da desigualdade entre os gêneros. A postura de fragilidade, de submissão, de "burrice", de incapacidade, pelo qual as mulheres ainda se submetem, nem sempre é realística. As mulheres já estão em todos os setores, principalmente nos setores de base, entretanto ainda enfrentam muitos preconceitos, assédio sexual, discriminação e a falta de oportunidade de estar nas mesas de decisão. O ponto principal é que, enquanto as decisões forem tomadas pelos homens, enquanto o olhar que define o feminino for um olhar masculino, torna-se impossível o empoderamento da mulher de maneira real.

> *As mulheres devem questionar os motivos pelos quais ainda permitem que os homens determinem seu destino.*

Aos homens não deve ser delegado o direito de mensurar seu nível de inteligência, de sentimento e de emoção, assim como suas capacidades. Por isso, a busca pela igualdade da participação feminina nas mesas de decisão sobre os rumos de uma empresa, sobre a saúde feminina, sobre o seu bem-estar e sobre a família deve ser permanente. Pois, enquanto as decisões forem tomadas de um ponto de vista apenas masculino e por homens, não haverá justiça nem verdade.

É importante que as mulheres ocupem tantas cadeiras quanto os homens, de maneira igualitária, em igual proporção nos setores de poder. Quando as mulheres forem tantas quanto os homens nos setores de decisão, entendendo as necessidades, as debilidades, as qualidades, as fortalezas e as limitações femininas, estaremos finalmente decidindo de forma igualitária. Cabe às mulheres compreenderem sua importância nas decisões.

Diante dos fatos apresentados, das pesquisas e dos indicadores, nos resta ainda uma indagação: seria a falta de inteligência emocional o que aprisiona a maioria das mulheres?

Outro aspecto amplamente citado como fator preponderante nas diferenças entre homens e mulheres e que agrava os distúrbios emocionais femininos diz respeito às diferenças biológicas. A seguir, vamos abordar o tema de forma sucinta, não com o objetivo de comparar homens e mulheres, mas com a proposta de compreender se há implicações dessas diferenças nas emoções femininas e nos resultados obtidos pelas mulheres.

A biologia e as emoções femininas

Muitas escolas teóricas, muitos estudiosos e diversas pesquisas buscam cada um à sua maneira conhecer o ser humano e seu comportamento em vários aspectos. A psicologia, uma das principais áreas que trabalham para compreender o desenvolvimento emocional do indivíduo, tem apoio em outras áreas quando se trata de fatores biológicos. Ciências como fisiologia, biologia, neurologia e neurociências estão presentes nesses estudos.

Ainda hoje, algumas pesquisas sustentam que o cérebro feminino e o masculino processam de modo distinto as informações, as emoções e o conhecimento que conduziriam às distinções de comportamento e de habilidade cognitiva. O autor Franklin Santos, em seu livro *Inteligência emocional*, relata que "o emprego mais antigo de um conceito similar ao de inteligência emocional remonta a Charles Darwin, que em sua obra se referiu à importância da expressão das emoções para a sobrevivência e adaptação".

A diferença entre os cérebros masculino e

feminino vem de eras remotas. Nas funções de caçadores e construtores, os primatas necessitavam de habilidades manuais, visuais e pouco se comunicavam. Já a mulher, responsável por cuidar dos alimentos e das crianças, tinha de desenvolver uma linguagem especial para compreender os membros do grupo e, por isso, teria desenvolvido mais habilidades sociais. A neurociência defende que as áreas do cérebro podem ter sido desenvolvidas por conta das atividades a serem realizadas. Em um artigo chamado "Meninos e meninas na educação infantil", as pesquisadoras Claudia Vianna e Daniela Finco, comentam que normalmente se considera que os homens têm um "melhor desempenho espaço-visual, matemático e científico", numa discussão que parte "das diferenças externas e do ambiente social para as diferenças internas, do organismo biológico, e seus efeitos sobre o que se entende por masculinidade e feminilidade". Para essas autoras, o desafio de superar a desigualdade de gênero exige "compreender o caráter social de sua produção, a maneira como nossa sociedade opõe, hierarquiza e naturaliza as diferenças entre os sexos, reduzindo-as às características físicas tidas como naturais e, consequentemente, imutáveis". Esse modo de enxergar a situação é, segundo elas, "reforçado pelas explicações oriundas

das ciências biológicas e pelas instituições sociais, como a família e a escola, que omitem o processo de construção dessas preferências, sempre passíveis de transformações".

Muitos estudos, porém, discorrem sobre as diferenças entre o feminino e o masculino que são fabricadas pelo padrão da cultura e pela multiplicação desse aspecto sem que se tenha plena consciência de seu caráter opressor. Em pesquisa realizada com professores em escolas de educação infantil, as citadas autoras Claudia Vianna e Daniela Finco identificaram que o ensino espontâneo de comportamentos femininos e masculinos é um fator muito influente nas relações com as crianças, já que as professoras "muitas vezes, orientam e reforçam diferentes habilidades nos meninos e nas meninas, de forma sutil, transmitindo expectativas quanto ao tipo de desempenho intelectual mais adequado para cada sexo e manipulando sanções e recompensas sempre que tais expectativas sejam ou não satisfeitas".

A fala de uma das professoras mostra claramente a cultura transmitida: "As classes com mais meninos são mais agitadas. As meninas, eu costumo chamá-las de princesas, então é uma relação mais meiga, mais doce mesmo. E os meninos são os meus rapazes os meus rapazes são mais ativos, gostam de correr, de pular, não param quietos no lugar".

O estudo nos traz ainda uma reflexão sobre o caráter das transgressões aos padrões impostos, ao afirmar que a "transgressão dos padrões socialmente aceitos costuma ser socialmente malvista e ridicularizada, uma das maneiras mais eficientes de reafirmar que cada um teria que se conformar aos padrões tradicionais de gênero e, principalmente, ao lugar que lhe cabe na sociedade". As autoras enfatizam que se trata de "preconceitos que não resistem à razão, nem aos novos tempos e que continuamos a considerar como verdades intocáveis, nos costumes e nas regras inflexíveis".

Para a reflexão proposta neste livro, cabe ressaltar que a diferença entre homens e mulheres que nos é imposta de forma cultural é a que sustenta meus apontamentos e que a intenção aqui é destacar como diferenças hormonais influenciam nas emoções femininas.

É sabido que os diferentes picos de hormônios resultantes do ciclo menstrual feminino provocam mudanças na maneira de agir das mulheres e no seu comportamento. Desse modo, busca-se entender as escolhas baseadas no impacto hormonal que as emoções sofrem.

Segundo afirma Eugênio Mussak, em seu livro *Metacompetência*, a grande carência do ser humano moderno está ancorada nas emoções e no nível que elas possuem. Para ele, "pessoas dotadas de grande habilidade intelectual, muita cultura e conhecimento muitas vezes se veem derrotadas pelo domínio do emocional, fraqueza extremamente humana, e, na maioria das vezes, relegada a segundo plano".

Diante dessa colocação, destacamos a importância do autoconhecimento, do gerenciamento dos sentimentos e da autopercepção, que acabam sendo esquecidos, e não desenvolvidos, quiçá praticados, pela maioria das mulheres.

> *Conhecer as emoções e empregá-las de forma positiva em benefício próprio fará toda a diferença nos relacionamentos interpessoais e na qualidade de vida pessoal e profissional.*

A autopercepção, para a psicologia, refere-se à maneira pela qual as pessoas compreendem suas atitudes e crenças com base em seu comportamento em determinadas situações. O autoconhecimento implica perceber a si próprio, isto é, detectar suas especificidades, qualidades, imperfeições e sentimentos. No caso da mulher, significa reconhecer que as questões biológicas hormonais interferem em seu humor, em seu comportamento. Com isso, ela poderá administrar a situação de forma tranquila ou menos estressante.

Por muitos anos, e ainda hoje, a tensão pré-menstrual tem sido motivo de piada, de chacota, inclusive por parte das próprias mulheres. De acordo com a Sociedade Brasileira de Medicina de Família e Comunidade (SBM-FC), a síndrome pré-menstrual (SPM), também chamada de tensão pré-menstrual (TPM), é representada por um conjunto de sintomas físicos, emocionais e comportamentais, que apresenta caráter cíclico e recorrente, o qual se inicia na semana anterior à menstruação. A OMS estima que 90% das mulheres sofram com esses sintomas, que comumente ocorrem uma a duas semanas antes do período menstrual. De acordo com a Associação Médica Brasileira (AMB), 40% das mulheres sofrem de TPM de intensidade leve, 30 a 35% de TPM moderada e 5 a 10% de TPM intensa.

A influência dos hormônios no comportamento humano é responsável por oscilações mais suaves ou mais intensas das emoções, podendo levar uma mulher da felicidade absoluta a uma insuportável irritação. Humor instável, retenção de líquidos, dificuldade de concentração, cólica, irritabilidade, compulsão por doces e dores nas mamas são apenas alguns sintomas conhecidos que afetam a mulher no período pré-menstrual, podendo influenciar suas atividades e seus relacionamentos pessoais, sociais e profissionais.

No Brasil, um estudo realizado pela SBMFC em ambulatório de ginecologia demonstra prevalência da síndrome pré-menstrual (SPM), entre 8% e 86%, dependendo da intensidade dos sintomas. Dentre os sintomas relatados, 86% se referiam à irritabilidade, 17% ao cansaço e 62% a depressão e cefaleia (cada), sendo que 95% das mulheres apresentavam mais de um sintoma, bem como 76% exibiam uma associação de sintomas físicos e psíquicos.

Queiramos ou não, os hormônios fabricados pelo organismo desempenham funções vitais para os processos biológicos, mas, sobretudo, condicionam o comportamento humano e até mesmo o humor. O desequilíbrio hormonal pode levar a pessoa a depressão ou a ver e sentir a realidade de uma maneira muito diferente. Dessa forma, podemos concluir que o ser humano está subordinado aos seus hormônios, pois eles permeiam o cérebro, os pensamentos e, consequentemente, os comportamentos.

Ter alterações hormonais não é sinônimo de fraqueza, inferioridade e desequilíbrio. Apesar disso, o preconceito pode acontecer de forma sutil em situações do cotidiano, o que reforça a crença na fragilidade da mulher. Em entrevista para o site do UOL, em 2016, a jornalista e escritora americana Jessica Bennett cita uma frase muito conhecida que denota o machismo prevalente: "Ela deve estar naqueles dias". Segundo ela, fazer piadas sobre TPM quando uma mulher age de forma mais assertiva "embute a ideia de que os hormônios fazem as mulheres serem menos racionais do que os homens". Ainda de acordo com Jessica Bennett, "não é justo, mas acontece: homens ganham status quando agem de forma agressiva. São vistos como apaixonados pelo trabalho. Já mulheres que agem da mesma maneira perdem status e são vistas como loucas". Entretanto, o homem não apresenta a variação hormonal durante o mês como a mulher.

Perceber-se e autoconhecer-se torna-se fundamental para o equilíbrio emocional e a valorização da mulher nas relações cotidianas. A síndrome pré-menstrual é afetada por três fatores: o primeiro deles é a própria menstruação, que interfere no humor da mulher, seguido das alterações no ciclo hormonal, que influem no sistema nervoso central, e da vulnerabilidade que toma conta de muitas mulheres nessa fase, fazendo-as a reagir de maneira desproporcionalmente emocional.

No estudo "Associação entre transtorno disfórico pré-menstrual e transtornos depressivos", as autoras Maria Laura Nogueira Pires e Helena Maria Calil, citam as observações feitas pelo ginecologista Robert Frank sobre a tensão pré-menstrual. Ele afirma que o grupo de mulheres acompanhado se queixava sobretudo de "um sentimento de tensão indescritível que surge de dez a sete dias antes da menstruação, perdurando em geral até o início do fluxo menstrual". Segundo ele, as "pacientes reclamam de desassossego, irritabilidade, nervos à flor da pele e procuram alívio através de ações consideradas tolas e destemperadas. Seu sofrimento pessoal é intenso e manifesta-se por muitos atos impetuosos eventualmente repreensíveis(...). Dentro de uma ou duas horas após o início do fluxo menstrual, ocorre um completo alívio, tanto da tensão mental quanto física".

Muitos estudos e pesquisas sobre essa síndrome têm sido realizados ao longo dos anos. Alguns apoiam, outros questionam, outros ainda negam a influência exclusiva dos hormônios nas alterações emocionais femininas. Aquele realizado pelas pesquisadoras Maria Laura Nogueira Pires e Helena Maria Calil, acima citado, apresenta diversas variáveis que podem proporcionar ampla reflexão sobre o tema. Dele, cito alguns pontos que ajudarão a compreender as alterações emocionais femininas e a importância de compreendê-las para o aumento do nível de inteligência emocional. A procura de alterações hormonais em mulheres com síndrome pré-menstrual tem redundado em resultados negativos, comprovando que o aparecimento dos sintomas independe de uma desregulação hormonal. Além disso, há demonstrações recentes acerca do envolvimento dos hormônios ovarianos na gravidade dos sintomas pré-menstruais, ainda que afirmações sobre esses mecanismos sejam por enquanto mera especulação.

Sabe-se, entretanto, que algumas mulheres respondem de maneiras distintas à mesma questão, o que nos faz indagar quais seriam os motivadores. As autoras citam fatores que compõem o que chamam de "aspecto da vulnerabilidade". Para pesquisadores citados no estudo, a vulnerabilidade pode ser vista como decorrência da flutuação hormonal e de influências externas, que afetam a maneira como a mulher reage ao longo do ciclo. Muitas investigações apontam para o agravamento dos sintomas pré-menstruais diante de situações estressantes.

Entre os cientistas e pesquisadores não há consenso sobre as origens ou influências dos distúrbios emocionais e não se sabe se há relação entre eles e a questão hormonal. O consenso não é relevante, pois o que interessa é analisar a existência de um adoecimento que causa sofrimento nas mulheres e que está hipoteticamente relacionado às emoções e, principalmente, à falta de autoconsciência e autoconhecimento, mas também aos costumes culturais. Expectativas negativas em relação à menstruação, aprendidas no ambiente social da mulher, também são citadas como fator determinante na maneira como o ciclo menstrual é vivenciado.

Diante de um cenário de incertezas pessoais, da falta conscientização sobre seu papel na sociedade, do pouco conhecimento sobre seu próprio corpo e sobre a influência dele nas suas emoções, normalmente a mulher se culpa e se responsabiliza pelo estresse, pelo nervosismo, pela ansiedade, ao mesmo tempo que se percebe incompetente para lidar com as próprias emoções, assumindo o papel de descontrolada emocionalmente.

Assim, a falta de inteligência emocional da mulher moderna impede uma vida mais equilibrada. Desenvolver um planejamento para conciliar as agendas pessoal e profissional, e incluir de forma consciente os períodos de instabilidade hormonal poderia contribuir para melhorar o desempenho e a estabilidade emocional da mulher.

A professora Arakcy Martins Rodrigues, em seus estudos sobre "indivíduos, grupos e sociedade", nos apresenta uma realidade sobre as mulheres muito comum na atualidade. Segundo ela, as mulheres "sentem-se 'periféricas' em relação ao mundo: não participaram de sua feitura e não se responsabilizam pelos resultados". Para ela, "a mulher vê sua história acontecer fora dela, geralmente construída por alguém; por vezes a mediação não é feita por outra pessoa, mas pelo destino ou outras entidades que lhe permitem delegar e projetar para fora de si mesma qualquer responsabilidade". Para a pesquisadora, "esses mecanismos diminuem o risco de emergência da depressão e da culpa. A conjugação desses fatores leva muitas mulheres à apresentação de um discurso prolixo [...]. O fato de ser impedida de agir livremente a leva, muitas vezes, à fantasia de que teria capacidade para resolver os problemas, mas é impedida pelos homens".

De maneira geral, uma das principais características das sociedades é a desigualdade entre os sexos, de modo que na vida econômica, cultural, política e intelectual, muitas mulheres cumprem um papel de subordinadas aos desejos e imposições, por vezes velados ou camuflados e até mesmo inconscientes, do mundo masculino.

É evidente, entretanto, que hoje outras tantas mulheres já têm tomado consciência de sua tarefa na própria vida e no mundo social e político, e avançam, mesmo que lentamente, rumo ao ideal traçado e desejado por cada uma delas. Diante do que podemos indagar: o que faz com que uma mulher deixe de ser autônoma?

O que a impede de ter consciência de sua importância na sociedade mantendo-a presa à ideia de subalternidade e de inferioridade?

Diante de tais questionamentos, trago à luz as indagações do filósofo francês Étienne de La Boétie, formuladas no século XVI, por volta de 1570, mas muito atuais ainda hoje: "Que mais é preciso para possuir a liberdade do que simplesmente desejá-la? Se basta um ato de vontade, se basta desejá-la, que nação há que a considere assim tão difícil? Como pode alguém, por falta de querer, perder um bem que deveria ser resgatado a preço de sangue? Um bem que, uma vez perdido, torna, para as pessoas honradas, a vida aborrecida e a morte salutar?"

A "servidão" feminina parece capaz de resistir às mudanças da história e às conquistas obtidas, tornando muitas mulheres vítimas de um contexto massacrante, de dores e mazelas deterministas, mas também de liames autoimpostos.

Cabe-nos ponderar acerca dos desafios enfrentados por muitas mulheres que desconhecem o poder da reconstrução pessoal da autoimagem mental. Cabe-nos ponderar sobre o reconhecer, o repensar e o reconstruir o "eu verdadeiro" existente em cada mulher. Cabe-nos indicar prováveis caminhos para que as mulheres possam se libertar das amarras do passado e reeditar a própria história numa jornada em busca da reconstrução do eu.

Com a intenção de contribuir com a construção desse provável caminho, acredito que muitas ferramentas de inteligência emocional são salutares ao empoderamento emocional feminino. Assim, no próximo capítulo, abordaremos algumas delas, voltadas para o processo de fortalecimento da inteligência emocional feminina.

Fim de sessão

Nossa conversa neste capítulo abordou:

☑ O papel da mulher hoje;

☑ O empoderamento feminino;

☑ A importância da inteligência emocional feminina;

☑ O efeito nocivo dos padrões de beleza;

☑ A desigual distribuição das tarefas por gênero;

☑ A importância de a mulher aprender a lidar com suas emoções para ter sucesso e ser mais feliz.

4

FERRAMENTAS DE INTELIGÊNCIA EMOCIONAL FEMININA

Fracassar é parte crucial do sucesso. Toda vez que você fracassa e se recupera, exercita perseverança, que é a chave da vida.

Sua força está na habilidade de se recompor.

Michelle Obama

Como já dissemos, a inteligência emocional é a capacidade de gerenciar as emoções, de impedir que a ansiedade interfira no potencial do raciocínio, de ser autoconfiante, de se automotivar.

A habilidade de identificar e gerenciar as próprias emoções é um atributo valioso para alcançar serenidade. Pessoas com bons níveis de inteligência emocional são mais resilientes e lidam melhor com desafios.

Reitero que o foco principal deste trabalho é identificar e iluminar o papel social feminino, suas especificidades, suas relações pessoais e profissionais; é contribuir com a construção de um caminho para o equilíbrio emocional e para uma vida com mais qualidade.

Daniel Goleman, em sua já citada obra *Inteligência emocional*, nos aponta que os fundamentos da inteligência emocional para o desenvolvimento de competências e habilidades emocionais estão pautados em cinco pilares:

1. **Autoconsciência**: capacidade de reconhecer as próprias emoções.

2. **Autorregulação**: capacidade de lidar com as próprias emoções.

3. **Automotivação**: capacidade de se motivar e de se manter motivado.

4. **Empatia**: capacidade de enxergar as situações pela perspectiva do outro.

5. **Habilidades sociais**: conjunto de capacidades envolvidas na interação social.

Desempenhar variados papéis, como o de mãe, profissional, esposa e amiga, exige mais que inteligência, exige gerenciamento das emoções.

Alcançar o equilíbrio emocional é um dos maiores desafios da mulher moderna, pois os sentimentos podem ser aliados ou inimigos. E desenvolver a inteligência emocional pode ser a chave para o sucesso pessoal e profissional.

A proposta deste livro é utilizar os processos da inteligência emocional, com foco no desenvolvimento da inteligência emocional feminina, para trazer a mulher para o centro da própria vida, a fim de que ela possa tomar consciência de suas qualidades e habilidades. A ideia é que ela perceba isso por meio da autopercepção e automotivação, fazendo uma completa, profunda e constante investigação sobre todos os aspectos que a envolvem, como, filhos, família, trabalho, amigos, e, com o olhar no futuro, identifique quais são seus sonhos e objetivos, e aonde ela gostaria de chegar.

Nessa proposta, não só o racional, mas sobretudo as emoções e os sentimentos, são observados e desenvolvidos. Eles são responsáveis pelas crenças que conduzem e impactam as decisões e as escolhas, e representam os significados que as pessoas atribuem aos fatos que lhes acontecem e aos resultados obtidos. Vale esclarecer que as crenças de um indivíduo são representadas por todas as ideias que ele viu, ouviu ou concluiu e que se tornaram verdades absolutas para ele.

Neste capítulo, vamos apresentar algumas ferramentas que servirão para ajudar a leitora a desenvolver sua inteligência emocional.

> *Elas servem como prática e também como exemplo dos progressos que é possível obter com o um trabalho de coaching ministrado por profissionais especializados.*

E são utilizadas num processo voltado ao desenvolvimento de competências e remoção de bloqueios para que os sonhos, metas e objetivos sejam alcançados de forma consistente, com a consequente melhora em vários aspectos.

A falta de foco, de objetivos claros e de sentido na vida é responsável por grande parte dos desajustes emocionais e de doenças derivadas desses desequilíbrios. Em meus estudos e em minha atuação como *coach*, percebo que as mulheres que tenho atendido diariamente se encontram diante de uma confusão mental e emocional por estarem vivendo de maneira desordenada e incongruente em relação às áreas de sua vida; poucas reconhecem a importância dessas áreas e a forma inadequada como se comportam diante delas. Noto também que grande parte das mulheres tem dificuldades na identificação dos valores que regem sua vida e normalmente estão focadas no externo. Por valores, podemos entender o conjunto de características de uma determinada pessoa que impõe a forma como ela se comporta e interage com aqueles que a rodeiam e com o meio em que vive.

Tenho a intenção de propor ferramentas que possam trazer mais uma vez clareza à mulher, que a levem para o centro da própria vida, permitindo-lhe, antes de tudo, perceber-se como ser humano, de modo que compreenda suas fraquezas e trabalhe para superá-las.

> *É importante que a mulher entenda e aceite que ela não é uma super-heroína e que não precisa tomar conta de tudo o tempo todo. E que possa, assim, ter o pleno controle de sua inteligência emocional.*

Acredito que, quanto mais se fala sobre o tema, mais se contribui para a conscientização com relação à transformação de mentalidades. Como visto nos capítulos, todas as mulheres, durante a criação da história de vida, ao enfrentarem preconceitos culturais, sociais e religiosos, tiveram de fazer escolhas, que por sua vez afetaram sua vida e a das pessoas à sua volta, e foram afetadas pelas escolhas de outros.

Diante de um cenário de sofrimento e luta para se libertar de preconceitos e ditaduras impostas, ainda há espaço para se perceber as singularidades, para compreender que os desafios da vida, por si só, não causam os desajustes emocionais, mas sim o que se faz com esses desafios à medida que são vivenciados.

Há que se compreender a importância da **autorresponsabilização**, da autoconfiança, da clareza de propósito e da automotivação na busca de estratégias para superação dos obstáculos impostos, resultando no sucesso pessoal e profissional, no autoconhecimento e na autogestão.

> *Infelizmente, muitas mulheres não tiveram direcionamentos ou acesso ao conhecimento, sendo muito difícil que saibam o que fazer para mudar e de que maneira, quando se veem dentro de um caldeirão de atividades, sentimentos e obrigações.*

Entendo ser imprescindível que sejam introduzidas na educação das crianças, mas também disponibilizadas para as mulheres, ferramentas simples que proporcionem clareza, autoconsciência, autopercepção e fortalecimento do eu; ferramentas que possam contribuir para a eliminação dos medos, das angústias, das tristezas, das inseguranças, assim como para a busca de soluções, direcionamento e fortalecimento da inteligência emocional.

É relevante aplicar ferramentas simples para o desenvolvimento da inteligência emocional feminina nas escolas e em todos os meios educacionais por professores, *coaches*, palestrantes, educadores, como medida de saúde pública que possa trazer à tona a realidade das mulheres e ajudá-las a se organizarem e a construírem uma nova história.

O que proponho neste capítulo é a apresentação de conhecimentos oriundos dos muitos atendimentos realizados com mulheres na minha prática diária como *coach*, transmutados em ferramentas.

> *A proposta é que a mulher possa se sentir capaz, autônoma, que seja capaz de descobrir o potencial realizador que existe dentro dela, com mais empoderamento pessoal e com coragem para alcançar seu melhor sonho.*

Por meio de um processo de mudança, a mulher se torna o centro, como agente ativa desse processo.

A seguir, vou mostrar algumas ferramentas para o desenvolvimento da inteligência emocional feminina e o passo a passo para colocá-las em prática. Sempre ressaltando que elas terão mais eficácia se forem aplicadas e acompanhadas por um profissional habilitado.

✎ Construção da autoimagem positiva

Uma pessoa com autoimagem fortalecida e positiva tem coragem de confiar em suas próprias decisões.

A autoimagem é composta por ideias, avaliações, julgamentos acerca do que a pessoa pensa sobre si mesma; pensamentos sobre sua capacidade de realização, sobre a opinião de outros acerca dela, sobre o que ela é e sobre o que gostaria de ser, que se refletem em seus comportamentos. Como afirma Augusto Cury, em seu já citado livro *Gestão da emoção*, "os maiores inimigos não estão fora do ser humano, mas dentro dele – são criados e nutridos por cada um de nós. E também que não há livre-arbítrio se o Eu é doente, estéril, inerte, enfim, se não exercita a capacidade de ser líder de si mesmo".

Todo histórico de influência externa, de autocrítica excessiva, de autoavaliações negativas, de crenças de incapacidade, de inaptidão e inferioridade, favorece um estado mental e emocional autodepreciativo e claramente indica que se possui uma autoimagem negativa.

É importante reforçar que a percepção que uma mulher tem de si mesma pode ser mudada por meio da aprendizagem, do autoconhecimento e da autodescoberta, da sua identidade, do seu eu. Quando uma mulher acredita em si própria e na sua capacidade de fazer boas escolhas, sente-se segura em suas realizações diárias.

O que percebemos é que há uma grande confusão mental que aprisiona as mulheres em seus cárceres mentais, denotando que a autoimagem positiva é inexistente. Quando ela é positiva, reflete a capacidade de acreditar e permite que a mulher viva de acordo com seus valores e objetivos, favorecendo o contentamento futuro e a satisfação com a vida pessoal e profissional.

Quando a mulher tem consciência de quem é, de suas fortalezas, qualidades e competências, e se aceita como é, começa a afirmar o direito de ser respeitada e sente-se menos vulnerável.

Daniel Goleman, no livro *Trabalhando com a inteligência emocional*, ressalta que nosso estilo de vida não deixa espaço para as emoções, que, segundo ele, "têm sua própria programação e cronologia", o que faz com que sejam reprimidas. De acordo com esse autor, "toda essa pressão mental abafa uma voz interior mais suave, que oferece um leme interior de convicção que poderíamos utilizar para navegar pela vida".

Quando a autoimagem é positiva, a mulher tem a confiança de ser única. Possui a capacidade de identificar crenças errôneas e preconceitos em relação ao corpo, às habilidades e às competências. Tem consciência de quem é, percebe a si mesma. Para isso, o primeiro passo é a mulher se aceitar como é, aprender a amar a si mesma e a seus defeitos.

A *Construção da Autoimagem Positiva* é uma ferramenta que proporciona à mulher a autopercepção por meio do ensaio mental, do poder da imaginação. Vale esclarecer que todas as ferramentas apresentadas neste livro podem ser realizadas por qualquer pessoa, mas, preferencialmente, deverão ser orientadas e conduzidas por *coaches*, palestrantes, profissionais de saúde e educadores.

Esse exercício consiste numa visualização. Ele estimula a capacidade de simular, de imaginar situações que se deseja que aconteçam. Permite que a mulher crie conexões neurais e expanda sua mente, libere seu imaginário e crie a possibilidade de ir além, de se recriar como mulher, de reconstruir os aspectos negativos de autoimagem. Nesse processo, ela irá identificar momentos bons e fortes, assim como suas fortalezas emocionais, físicas, sociais e psicológicas, projetando um futuro melhor, com mais clareza, consciência, autopercepção e autoconhecimento.

Essa é uma das ferramentas utilizadas no Curso Reciclagem Pessoal Feminina, desenvolvido por mim e destinado a mulheres em busca de autoconhecimento e desenvolvimento da inteligência emocional, dentro dos contextos da inteligência emocional feminina, para que possam superar seus traumas, preconceitos e falhas, assim como vencer o tédio, as incertezas, o medo, a ansiedade, a solidão e a tristeza. Serve para que a mulher possa entender suas possibilidades de se recriar por meio da comparação, da criação de novas conexões neurais, da projeção futura, da identificação e da descrição de suas fortalezas, desenhando dessa maneira uma melhor imagem futura e acreditando que essa nova imagem é possível.

A criação positiva da autoimagem possibilita que a mulher se liberte das concepções negativas a respeito de si mesma. Aprender a questionar opiniões negativas a seu respeito é uma habilidade que deve ser treinada constantemente, assim como a prática de identificar e valorizar os pontos fortes, reconhecendo que todas as pessoas possuem defeitos e que estes não devem ser supervalorizados. Todos nós estamos num constante processo de mudança e a mulher pode decidir aprimorar suas habilidades e investir em conhecimento.

Desenvolver uma autoimagem positiva é um processo interior, que exige comprometimento, perdão, aceitação, compreensão e coragem para enfrentar o passado e se reinventar.

Como praticar

Em cada um dos exercícios deste capítulo, há um passo a passo que orienta sua execução. Na sequência de todos os exercícios propostos neste capítulo, deixamos algumas linhas para que você possa registrar suas impressões a respeito. Se preferir, você pode também anotá-las num caderno. O importante é que você faça as anotações, pois elas irão aumentar seu autoconhecimento, primeiro passo para uma mudança efetiva de padrões.

✓ Inicialmente, procure perceber, por meio de ensaio mental, a sua realidade atual e associe a essa realidade suas emoções.

✓ Na sequência, mentalize e visualize uma imagem que seja melhor do que a atual e que tenha acontecido em um momento passado em qualquer uma das áreas de sua vida. Associe a essa imagem passada aos sentimentos e emoções vivenciados naquele momento.

✓ Após identificar essa imagem mais feliz, crie uma imagem de si mesma na qual se vê como a pessoa confiante em que deseja se transformar. Visualize toda a realidade física, emocional, financeira, psicológica, social e familiar.

✓ Situe essa imagem criada num futuro próximo, num período de até seis meses, e visualize todos os desejos que tem para todas as áreas de sua vida.

✓ Veja como se sente nesse futuro programado. Como os outros a percebem? Qual é a linguagem corporal que você utiliza? Como fala?

✓ Com os olhos fechados, imagine os sentimentos, as experiências e as vivências do momento imaginado.

✓ Com papel, lápis de cor, giz de cera, pincéis ou outro material disponível, desenhe da melhor forma possível essa imagem, para que fique gravada.

✓ O ideal é que você faça esse exercício uma vez por dia, pelo menos durante sete dias.

Minhas impressões

_____

_____

_____

_____

_____

_____

_____

_____

_____

_____

_____

✎ Pirâmide das funções

Comentamos em capítulos anteriores a dificuldade que as mulheres enfrentam para conciliar todas as áreas de sua vida – atividades pessoais, familiares e profissionais. Sabe-se que a cultura, que tem grande influência nesse aspecto, em geral persiste numa visão conservadora e tradicional dos papéis de homens e mulheres com relação ao cuidado dos filhos e afazeres domésticos.

Além de se ocupar com tudo isso, a mulher ainda precisa encontrar tempo para si mesma, o que deveria ser uma prioridade, pois, se ela não tem condições de cuidar de si própria da melhor forma, a dedicação aos demais pode ficar comprometida.

Tratar dos cabelos e das unhas, realizar exercícios físicos são práticas que fazem com que ela se sinta melhor e possa lidar de forma mais feliz e completa com as outras tarefas do dia a dia.

Essa ferramenta serve para proporcionar estabilidade emocional e permite que a mulher identifique a quantidade de tempo que dedica aos vários papéis assumidos: de mulher, de mãe, de esposa, de profissional. Também permite avaliar a qualidade da dedicação desse tempo.

A percepção da quantidade e da qualidade do tempo que a mulher dedica ao cuidado consigo mesma, à família, ao trabalho e à sociedade é muito importante. A mulher envolvida com um excesso de tarefas talvez não consiga ter uma noção precisa do tempo e da energia gastos nos vários setores da sua vida. Normalmente, ela costuma deixar o autocuidado em último lugar sacrificando a quantidade e a qualidade do tempo dedicado para proveito próprio. O que se percebe é que pouquíssimas mulheres conseguem separar um tempo de qualidade para si mesmas e não sentir culpa por isso.

Para alcançar o sucesso e realizar os sonhos, é fundamental que haja autoconfiança, que é o resultado de uma autoestima elevada e autoimagem positiva.

As ferramentas de inteligência emocional feminina têm como objetivo fazer com que a mulher seja o centro da própria vida para que possa entender todas as suas qualidades e habilidades, assim como ressaltar suas fortalezas.

Servem também para que ela consiga organizar melhor seu tempo e determinar, dentro de uma agenda de tarefas, o que fazer, quando fazer, por que fazer, para que fazer, para quem fazer e qual a qualidade do tempo dispendido nessas tarefas.

É importante saber que não é possível dar conta de tudo sozinha, que é preciso abrir mão de algumas coisas para poder ser emocionalmente saudável e escolher aquilo que considerar realmente importante para o crescimento e a realização pessoal, de forma a lidar de maneira mais leve com as coisas.

Pois como bem diz Augusto Cury, na obra já citada, "uma pessoa que equipa seu Eu para ser fiel à própria consciência é, em primeiro lugar, preocupada com sua saúde emocional e cresce diante da dor; filtra estímulos estressantes, protege a mente, não leva para o túmulo seus fantasmas mentais. (...) Ter projetos, lutar por eles, trabalhar, poupar recursos: são formas de irrigar a emoção. Quem vive na sombra dos outros desidrata a própria felicidade".

Como praticar

✓ Medite sobre a ferramenta das impressões, procurando avaliar quanto tempo de seu dia você dedica a si mesma e quanto tempo dispende para cumprir os papéis de mãe e de esposa. Se trabalha fora, inclua também essa atividade.

✓ A cada final de dia, anote esses tempos. Isso vai ajudá-la a ter consciência de que precisa dedicar-se mais a si mesma e prepará-la para construir esse tempo de autocuidado.

Minhas impressões

_____

_____

_____

_____

_____

✏ Habilidades – o que sei fazer bem?

É sabido que a mulher dedica boa parte de seu tempo aos amigos, aos filhos, ao esposo e à sociedade, e costuma se colocar em segundo plano, assumindo uma posição de sempre servir, de ajudar nas tarefas de outros. Muitas vezes, acaba sendo explorada ou usada pelas pessoas ao seu redor, conscientemente ou não, deixando de se valorizar.

A utilização das ferramentas e dos exercícios de inteligência emocional, além de fortalecer a mulher, trazê-la para o centro da sua vida, estabelecer suas fortalezas, criar conexões neurais e projetar uma visão positiva de futuro, permite a ela perceber o que faz bem e entender se o que ela faz bem pode auxiliá--la a conseguir uma renda extra.

A ferramenta Habilidades – o que Sei Fazer Bem? incentiva as mulheres a identificar suas potencialidades, habilidades e talentos. Para aquelas que não estão satisfeitas com suas profissões ou atividades profissionais, ou passam por um momento de transição, ela, pela elaboração de uma lista, proporciona clareza quanto a viabilizar tais atividades como fonte de renda. Promove a reflexão sobre quanto cobrar, como valorizar o trabalho. Essa ferramenta tem como objetivo principal, além de aumentar a renda pessoal, fazer com que a mulher compreenda que a independência financeira é um dos pilares mais fortes para que ela possa se sentir valorizada.

Como praticar

✓ Faça uma lista de no mínimo cinco habilidades, ou seja, coisas que você sabe fazer com maestria e que não esteja desenvolvendo como profissão ou com as quais não esteja tendo retorno financeiro.

✓ Após identificar essas habilidades, desenvolva um plano de ação.

✓ Elabore um passo a passo para visualizar o que é necessário para começar a usar suas habilidades e torná-las rentáveis.

✓ Confira esse plano a cada dia ou pelo menos a cada semana.

✓ Se lhe ocorrerem outras habilidades, inclua-as na lista e nas propostas para transformá-las em atividades rentáveis.

Minhas impressões

_____

_____

_____

_____

_____

_____

_____

✎ Eliminando hábitos ruins

A inteligência emocional feminina trabalha com várias áreas da vida, de modo que essa ferramenta específica aborda a saúde da mulher, para que ela possa ter clareza de como está física e emocionalmente, identificando seus sentimentos, emoções e pensamentos, e controlá-los.

É uma ferramenta simples, que serve para elucidar dois hábitos ruins e incentivar a eliminação deles por meio de uma decisão própria. A proposta é identificar quais são as compulsões, as debilidades, aquilo que realmente constitui hábitos ruins e prejudiciais à saúde emocional, física e psicológica. Essa prática pode trazer resultados poderosos para a vida da mulher. E talvez a falta de conhecimento a impeça de praticá-las e enxergá-las como importantes dentro do contexto de sua vida.

Como praticar

✓ Identifique na rotina diária dois hábitos ruins que estejam prejudicando sua vida e que lhe causem angústia ou frustração, ou que levem a outros hábitos nocivos, como a compulsão por alimentos, o vício de beber ou o uso de medicamentos.

✓ Em seguida, procure identificar qual é o gatilho para esses comportamentos, quais os motivos que induzem a tais hábitos e até que ponto eles lhe são prejudiciais.

✓ Feita essa identificação e conscientização dos hábitos nocivos, escolha dois bons hábitos e os coloque no lugar dos hábitos nocivos. Faça isso mentalmente, imaginando, por exemplo, que o hábito ruim está dentro de uma caixa e você desloca essa caixa para colocar no lugar dela a caixa com o hábito bom. Exemplos de bons hábitos são fazer caminhadas de quinze minutos, meditação ou relaxamento ao fim do dia.

✓ Junto com o exercício mental, crie uma rotina para cumprir os novos hábitos adotados. Defina a periodicidade com que irá colocá-los em prática e obedeça a esse planejamento.

Minhas impressões

_____

_____

_____

_____

_____

_____

_____

✎ Escada para a realização dos sonhos/ordenação de valores

Outra ferramenta a ser usada para o desenvolvimento da inteligência emocional feminina e para que a mulher tenha autoconsciência e melhor percepção de si mesma é a Escada para a Realização dos Sonhos, à qual está atrelada a atividade Ordenação dos Valores.

Sonhar é natural a todo ser humano e faz parte do caminho e do propósito de vida. Assim, é importante que a mulher saiba aonde quer chegar, quais são seus sonhos, desejos e objetivos, a fim de transformá-los em realidade. Dessa forma, poderá concentrar os esforços, aumentar a energia e criar oportunidade para alcançá-los.

Porém, além de sonhar, é preciso ter confiança na sua capacidade. Os sonhos podem ser desdobrados em metas. A cada etapa cumprida, a segurança irá aumentar, ajudando a alcançar mais rapidamente um ideal.

O alcance das metas é potencializado pelos valores. E infelizmente, nos meus estudos, tenho percebido que a identificação e a ordenação dos valores são distorcidas e em geral focadas no externo, nos outros, o que causa confusão mental e emocional na mulher.

Às vezes, as pessoas estabelecem metas, mas tentam conquistá-las sem satisfazer os valores que as fizeram tão atrativas. Identificar o valor que está por trás das metas é imprescindível para atingi-las.

Quando uma meta for estabelecida, deve-se sempre encontrar o valor por trás dela perguntando: "Para mim, qual a importância de conquistar esta meta?". E continuar perguntando até chegar aos valores essenciais.

O sonho é o destino e dá a direção para onde se mover. Ele pode ser transformado em metas positivas, energizantes e motivantes e pode estar relacionado a todas as áreas da vida da mulher.

Nessa atividade, a mulher identifica e lista quais são seus sonhos e metas. Num segundo momento, ela descreve o que realmente é importante em sua vida e classifica em grau de importância, dando-lhes uma nota de zero a dez.

Valores são estados mentais importantes para nós que ajudam no comprometimento. São normalmente expressados em termos abstratos, por exemplo: honestidade, amor, amizade, lealdade, diversão, saúde, integridade, intimidade e liberdade. Ir contra seus valores pode causar irritação e frustração, por isso é tão importante ter clareza sobre eles.

Como praticar

- ✓ Anote quais as cinco áreas mais importantes de sua vida.

- ✓ Depois, atribua valores de 0 a 10 para classificar a atenção e dedicação que tem dado a essa área e classifique por ordem de importância. Utilize para isso a tabela 6, a seguir.

Tabela – Áreas da vida

Ordem	Área da vida	Nota
1		
2		
3		
4		
5		

Na sequência, ordene seus valores, tendo em mente a importância deles para você. A nota dada, se for baixa, deve idealmente gerar uma atitude positiva que possa ao longo do tempo melhorar a vida.

Escreva uma atitude positiva que irá ter a partir de hoje para melhorar as áreas que estiverem mal posicionadas (repita a área por ordem de importância).

Tabela – Ordenação de valores

Valores	Ordem 1	Ordem 2

Em seguida, reordene esses valores e os realoque conforme realmente os realiza ou dá importância a eles, comparando a ordem de importância com a real dedicação, para que possa entender a importância do seu principal valor e ter força, sustentabilidade, coragem, energia e equilíbrio emocional para praticá-lo.

Minhas impressões

_____

_____

_____

_____

_____

_____

_____

_____

_____

✎ Perdão

Essa ferramenta é ao mesmo tempo simples e importante. Para sua realização, recomenda-se que a pessoa tenha o acompanhamento de um educador, *coach*, palestrante ou profissional da saúde.

Esse exercício permite à mulher livrar-se da carga de culpa e de confusão mental, emocional, espiritual e psicológica que ela pode ter carregado por toda a vida, o sentimento de culpa de estar suja, o sentimento de que não é suficiente, de que já foi abusada, de que está desamparada.

Pelo fato de essa ferramenta atingir camadas muito profundas do ser feminino, é importante que o exercício seja feito com o acompanhamento de um profissional. A prática serve para que a mulher possa se libertar, se perdoar e entender que o perdão e a reconstrução do eu são um exercício diário e constante. É fundamental para que ela reconstrua o seu ser.

Escrever a carta de perdão e realizar o ensaio mental permite à mulher compreender que ela está se libertando de um passado doloroso e se permitindo ir além.

Como praticar

✓ Sempre com a ajuda de um profissional habilitado, busque em seu passado tudo aquilo que a feriu e os motivos de todos esses sofrimentos e problemas emocionais em sua vida.

✓ Feita essa identificação, elabore uma "carta de acusação" a todas as pessoas que a feriram, na qual conste todo e qualquer abuso sofrido.

✓ Em seguida, rasgue essa carta, simbolizando o perdão liberado aos que a feriram, de modo que você se sinta libertada das amarras do passado e se permita uma nova vida.

Minhas impressões

_____

_____

_____

_____

_____

_____

_____

_____

✐ Validação pessoal

Esse exercício serve para reforçar a autoimagem, a autoestima e a valorização do eu, bem como proporcionar a autopercepção da mulher.

É uma prática diária de validação pessoal que traz autopercepção, autoconsciência e clareza mental à mulher, fortalecendo o seu eu e suas habilidades, fazendo emergir tudo de bom que ela é, o que sabe fazer, o que pode ser e o que pode se tornar por meio da validação pessoal diária.

A afirmação pessoal diária ressalta o que a mulher é, o que ela merece ser, onde vive, o que quer fazer em termos de profissão, o que deseja ser e realizar, quais são seus sonhos, o que está se tornando e o que irá conquistar nos próximos anos.

Como praticar

✓ Inicialmente, elabore uma lista com várias características positivas a seu respeito e outras que deseja desenvolver. Todas as frases dessa lista devem ser iniciadas com "Eu sou".

✓ Diante do espelho, repita o "Eu sou" e exalte suas qualidades, tanto aquelas que já a definem hoje como as que deseja conquistar e integrar à sua personalidade.

Minhas impressões

_____

_____

_____

_____

_____

_____

✎ Gratidão

Estudos mostram que as pessoas gratas são mais felizes. Porém, muitas vezes diante de rotinas estressantes, vivendo com excesso de tarefas para realizar, enfrentando escassez financeira ou turbulência com filhos e com o marido, ou mesmo prováveis frustrações pessoais, muitas mulheres se esquecem do que já possuem, de suas qualidades, dos motivos que têm para serem gratas.

Usar o fator gratidão como mola propulsora para o aumento da felicidade é uma proposta da inteligência emocional feminina, para que a mulher possa entender seu contexto e suas mazelas, fraquezas, sofrimentos, angústias, mas também para que possa alcançar clareza sobre tudo aquilo que já tem de bom.

Ao contrário da ingratidão, que gera males psicossomáticos, a gratidão é o remédio natural para muitas doenças psíquicas e emocionais e até para dores físicas, e outros problemas decorrentes do excesso de tarefas, da raiva e de tudo que pode acarretar danos à saúde da mulher.

Como praticar

- ✓ Liste cinco motivos de gratidão. Isso a ajuda a entender o que você já possui de bom.

- ✓ Repita o exercício diariamente, por no mínimo um mês, permitindo que o hábito de agradecer seja estabelecido.

Minhas impressões

_____

_____

_____

_____

_____

✎ Reciclagem socioemocional

Dentro do Curso Reciclagem Pessoal Feminina, utilizamos a Reciclagem Socioemocional, ferramenta que analisa e identifica como a mulher se relaciona com os outros, com quem ela mais gosta de interagir, tanto no âmbito profissional como no âmbito de amizade, e quais são as pessoas com quem tem dificuldade para lidar.

Essa clareza no âmbito socioemocional é muito importante para que a mulher possa identificar seus comportamentos e corrigi-los, se necessário, mas que ela possa se orientar com mais clareza a partir do uso das ferramentas da inteligência emocional feminina.

Como praticar

✓ Num papel, faça uma lista das pessoas com quem você se relaciona melhor.

✓ Em seguida, faça uma lista das pessoas com quem você tem dificuldade para se relacionar.

✓ Procure então descobrir e registrar por que você tem problemas de relacionamento com essas pessoas. Muitas vezes, os defeitos que identificamos nos outros são exatamente aqueles que apresentamos e que não queremos reconhecer em nós mesmos.

✓ Faça uma lista do que você poderia modificar para ter um relacionamento melhor com essas pessoas.

✓ Se for o caso, faça uma lista de pessoas das quais você realmente precisa se afastar (se possível for), pelo fato de elas estarem sendo nocivas em sua vida.

✓ Volte periodicamente a essas listas, para ver o que pode modificar nelas.

Minhas impressões

_____

_____

_____

_____

_____

_____

_____

_____

_____

✎ Reciclagem sensorial

Essa ferramenta aborda como a mulher se sente em relação à sua sexualidade e sensações, quanto ela se cuida em relação aos exames físicos (de mama, ginecológicos, por exemplo), quanto se permite perceber no âmbito do prazer sexual, quanto realmente não está vivendo sua sexualidade de maneira plena por barreiras comportamentais, culturais ou pela imposição de altos padrões de beleza inalcançáveis, que abalam sua confiança em relação ao seu corpo e à sua sexualidade.

Essa é mais uma das ferramentas que podem ser aplicadas pelo educador, pelo palestrante, pelos profissionais da saúde. Trata-se de um questionário simples, com perguntas que devem ser classificadas em uma escala de 0 a 10 em relação à sua sexualidade e à vida sexual com o parceiro.

Ressalto que, dentro dos meus atendimentos, muitas mulheres, principalmente de 30 a 45 anos, que em sua maioria se casaram muito jovens, relataram não ter relações sexuais com frequência com o parceiro, pois o nível de contato, de carinho, de afeto e de sexo era pequeno, e muitas já não se percebiam como mulher no plano sexual, reclamando bastante de ter essa área da vida esquecida. Várias delas responsabilizavam o parceiro.

É importante trazer à tona a autorresponsabilidade, o autoconhecimento, o porquê de gostar ou não e o motivo para ter relação sexual com o parceiro. É preciso que a mulher se perceba como centro da sua vida, para que possa se permitir sentir prazer, ver a si mesma como uma mulher com todas as possibilidades de desfrutar do seu corpo e da sua sexualidade, sem imposições de beleza inalcançável e conceitos religiosos ou culturais negativos.

Como praticar

✓ Para este exercício, o ideal é você contar com a ajuda de um *coach* ou profissional de saúde, que irá lhe fazer as perguntas que possam lhe trazer mais clareza sobre você mesma. Entre as perguntas possíveis, e sobre as quais você poderá refletir, estão:

◇ Quanto realmente me sinto bonita?

◇ Eu me sinto plena na área sexual?

◇ Eu me sinto segura em relação ao meu parceiro sexual?

◇ Quanto acredito que meu parceiro está satisfeito com meu corpo?

◇ Quanto acredito que meu parceiro está satisfeito com nossa sexualidade?

Minhas impressões

_____

_____

_____

_____

_____

_____

_____

_____

_____

✏ Identificação de comportamentos

Os vícios emocionais, culturais e comportamentais femininos são abordados aqui para que a mulher possa entendê-los, ter consciência, percepção e clareza em relação a eles, e com isso eliminá-los. É importante que ela entenda que, por influência da mídia, sua existência está repleta, de comportamentos culturais ou sociais que fazem dela um verdadeiro inferno, sem que ela perceba.

Essa ferramenta ajuda a mulher a identificar quais comportamentos gostaria de eliminar e quais ações e atitudes é importante adotar para eliminar o comportamento nocivo.

Como praticar

✓ Reserve um tempo de meia hora no seu cotidiano e reflita sobre quais comportamentos gostaria de eliminar de sua vida.

✓ Definidos esses comportamentos, procure determinar quais ações e atitudes você deveria adotar para eliminá-los.

✓ De preferência, anote as conclusões a que chegou e volte periodicamente a elas, para trabalhar outros que tenha detectado depois de iniciar a prática do exercício.

Minhas impressões

_____

_____

_____

_____

_____

_____

✐ Formas de anestesiar-se

Outro exercício proposto dentro do programa de inteligência emocional feminina é buscar entender as formas de anestesiar--se que a mulher vem usando para não enfrentar seus desafios.

É uma ferramenta simples, que traz clareza à vida da mulher, para que ela possa decidir o que fazer, identificar os hábitos ruins ou as anestesias que pode realmente eliminar de sua vida. Também serve para lhe mostrar como ela pode substituí-los por novos bons hábitos, como ela pode buscar outras formas de prazer, a fim de que não mais se anestesie.

Como praticar

✓ Reflita sobre quais são os hábitos femininos ruins que você vem tendo durante toda sua vida e que talvez venham prejudicando você e toda a sua família. A lista a seguir sugere alguns fatores a que esses hábitos podem estar associados e que a ajudam a anestesiar-se diante da vida:

◇ álcool;

◇ pornografia;

◇ fofoca;

◇ preguiça;

- drogas;
- vitimização;
- novelas;
- palavrões;
- descontar nos filhos;
- violência física.
- comer em excesso;
- uso de anfetaminas;
- excesso de gastos com o visual;
- compras em excesso de roupas e produtos de beleza.

✓ Faça uma lista de hábitos saudáveis que você pode adquirir e que vão ajudá-la a combater essas práticas nocivas. Algumas sugestões são:

- preparar comidas saudáveis;
- desenvolver a leitura;
- desenvolver uma nova atividade;
- voltar a se encontrar com as amigas;
- praticar um esporte;
- reservar tempo para si mesma.

Minhas impressões

_____

_____

_____

_____

_____

_____

_____

_____

_____

_____

_____

_____

_____

_____

_____

✐ O que a torna vulnerável?

A vulnerabilidade é definida como o estado de um indivíduo ou de um grupo que por alguma razão tem sua capacidade de autodeterminação reduzida, podendo enfrentar dificuldades para proteger seus próprios interesses, devido a déficits de poder, inteligência, educação, recursos, forças ou outro atributo.

O que a Torna Vulnerável? é outro exercício utilizado para potencializar a inteligência emocional feminina, buscando identificar juntamente com a mulher o que a faz vulnerável, o que a desestabiliza, o que a deixa insegura e com medo.

Com a aplicação dessas ferramentas, tenho como objetivo trazer autoconhecimento, autopercepção, autoconsciência, para que a mulher esteja verdadeiramente no centro da sua vida e dessa maneira possa tomar decisões mais assertivas, assim como agir com mais coragem e certeza, deixando de ser fraca em momentos nos quais não é e de querer se mostrar forte em momentos em que está despedaçada.

Como praticar

✓ Faça a si mesma a pergunta: "O que me torna vulnerável?".

✓ Reserve um tempo para refletir sobre o assunto e anote o que lhe vier à cabeça.

✓ Você pode também se inspirar nos seguintes temas sugeridos a seguir, que podem estar nessa classificação.

◇ filhos;

◇ o relacionamento;

◇ doença;

◇ desemprego;

◇ problemas na área sexual;

◇ autoimagem;

◇ opinião alheia;

◇ dinheiro;

◇ emprego;

◇ convivência com outras pessoas;

◇ entrevistas de emprego.

✓ Feita a lista, reflita sobre cada item e procure tomar consciência de como cada um desses fatores a influencia.

✓ Se preferir, anote essas reflexões, pois isso irá ajudá-la a ter mais clareza sobre os problemas e a lidar melhor com eles.

✓ Periodicamente, volte a essa lista e veja os progressos que fez.

Minhas impressões

_____

_____

_____

_____

_____

_____

_____

_____

_____

_____

Fim de sessão

Nossa conversa neste capítulo abordou:

☑ Exercícios e práticas que podem contribuir para o seu aperfeiçoamento pessoal.

A TODAS as mulheres do planeta!

Lembrem-se diariamente: SOMOS o coração do mundo, podemos e devemos imprimir a ele o ritmo que precisa ter!

PULSEM com força, batam com coragem e, claro, nunca percam a amorosidade. ♡

REFERÊNCIAS

AGÊNCIA PATRÍCIA GALVÃO. *Especialistas analisam o marketing sobre o corpo da mulher*. Out. 2011. Disponível em: <http://agenciapatriciagalvao.org.br/site-antigo/mulheres-de-olho-antigo/18102011-o-marketing-da-mulher-clam/>. Acesso em: 23 de mai. de 2018.

ARAÚJO, Maria de Fátima. *Diferença e igualdade nas relações de gênero: revisitando o debate*. Psic. Clin., Rio de Janeiro, v. 17, n. 2, p. 45-52, 2005. Disponível em: <http://www.redalyc.org/html/2910/291022005004/>. Acesso em: 23 de mai. de 2018.

ARRUDA, CG; FERNANDES, A; CEZARINO, P. Y. A.; SIMÕES, R. *Tensão pré-menstrual*. Projeto Diretrizes. Federação Brasileira das Associações de Ginecologia e Obstetrícia e Sociedade Brasileira de Medicina de Família e Comunidade. Associação Médica Brasileira e Conselho Federal de Medicina, 2011. Disponível em: <https://diretrizes.amb.org.br/_BibliotecaAntiga/tensao_pre_menstrual.pdf>. Acesso em: 24 de mai. de 2018.

BARBOSA, Maria José Somerlate. *Chorar, verbo transitivo*. Cadernos Pagu, Iowa University of Iowa, p. 321-343, 1998. Disponível em: <https://periodicos.sbu.unicamp.br/ojs/index.php/cadpagu/article/view/8634637>. Acesso em: 24 de mai. de 2018.

BAR-ON, Reuven; PARKER, James D. A. *Manual de inteligência emocional: teoria, desenvolvimento avaliação e aplicação em casa, na escola e no local de trabalho*. Trad. Ronaldo Cataldo Costa. Porto Alegre: Artmed, 2002.

BERNUSSI. Mariana. *(Des)igualdade de gênero nos Estados Unidos*. Terra em Transe, Rio de Janeiro, jan. 2017. Disponível em: <http://outraspalavras.net/terraemtranse/2017/01/26/desigualdade-de-genero-nos-estados-unidos/>. Acesso em: 24 de mai. de 2018.

BÔAS, Bruno Villas. *Mulheres ocupam apenas 38% dos cargos de chefia no Brasil*. Valor Econômico, Rio de Janeiro, mar. 2018. Disponível em: <http://www.valor.com.br/brasil/5368813/mulheres-ocupam-apenas-38-dos-cargos-de-chefia-no-brasil-aponta-ibge>. Acesso em: 23 de mai. de 2018.

BOMFIM. Mariana. *De piada sobre TPM a servir cafezinho: como lidar com machismo no trabalho?*. UOL, São Paulo, out. 2016. Disponível em: <https://economia.uol.com.br/empregos-e-carreiras/noticias/redacao/2016/10/06/de-piada-sobre-tpm-a-servir-cafezinho-como-lidar-com-machismo-no-trabalho.htm?cmpid=copiaecola>. Acesso em: 26 de mai. de 2018.

BOSCO. Adriana Perassi. *Entre a essência e a construção: experiências cotidianas do feminino a partir da produção fotográfica de jovens mulheres paulistanas*. Dissertação (Mestrado em Psicologia Social) – Instituto de Psicologia, Universidade de São Paulo, São Paulo, 2009. Disponível em: <http://www.teses.usp.br/teses/disponiveis/47/47134/tde-27112009-112839/pt-br.php>. Acesso em: 27 de mai. de 2018.

BRASIL. Ministério da Saúde. *Doenças relacionadas ao trabalho: manual de procedimentos para os serviços de saúde* / Ministério da Saúde do Brasil, Organização Pan-Americana da Saúde no Brasil; organizado por Elizabeth Costa Dias; colaboradores Idelberto Muniz Almeida et al. Brasília: Ministério da Saúde do Brasil, 2001. Disponível em: <http://bvsms.saude.gov.br/bvs/publicacoes/doencas_relacionadas_trabalho1.pdf>. Acesso em: 25 de mai. de 2018.

_____. *10 cuidados primordiais para a saúde da mulher*. Mar. 2018. Disponível em: <http://www.blog.saude.gov.br/index.php/promocao-da-saude/53244-10-cuidados-primordiais-para-a-saude-da-mulher>. Acesso em: 24 de mai. de 2018.

_____ *Protocolos da atenção básica: saúde das mulheres* / Ministério da Saúde, Instituto Sírio-Libanês de Ensino e Pesquisa – Brasília: Ministério da Saúde, 2016. 230 p. Disponível em: <http://portalms.saude.gov.br/saude-para-voce/saude-da-mulher/publicacoes>. Acesso em: 25 de mai. de 2018.

BRITO. Carolina. *Mulheres são minoria entre reitores e bolsas de pesquisa*. Instituto de Matemática Pura e Aplicada. Rio de Janeiro, fev. 2018. Disponível em: <https://impa.br/page-noticias/mulheres-sao-minoria-entre-reitores-e-bolsas-de-pesquisa/>. Acesso em: 25 de mai. de 2018.

BUONOCORE. Jackson César. *Ditadura da beleza: a busca inatingível do corpo perfeito*. Psicologia do Brasil, maio 2018. Disponível em: <https://www.psicologiasdobrasil.com.br/ditadura-da-beleza-busca-inatingivel-do-corpo-perfeito/>. Acesso em: 24 de mai. de 2018.

CARVALHO. Pedro Henrique Berbert de. *Adaptação e avaliação do modelo teórico de influência dos três fatores de imagem corporal para jovens brasileiros*. 2016. 195 f. Tese (Doutorado em Psicologia) – Universidade Federal de Juiz de Fora, Juiz de Fora, 2016. Disponível em: <http://www.ufjf.br/labesc/files/2015/03/Tese_Pedro-Henrique-Berbert-de-Carvalho_ para-jovens-brasileiros.pdf>. Acesso em: 23 de mai. de 2018.

CONCEIÇÃO. Antônio Carlos Lima da. *Teorias feministas: da "questão da mulher" ao enfoque de gênero*. Revista

Brasileira de Sociologia da Emoção – RBSE, 8 (24), p. 738-757, 2017. Disponível em: <http://www.cchla.ufpb.br/rbse/Conceicao_art.pdf>. Acesso em: 24 de mai. de 2018.

CURY, Augusto Jorge. *Gestão da emoção: técnicas de coaching emocional para gerenciar a ansiedade, melhorar o desempenho pessoal e profissional e conquistar uma mente livre e criativa.* São Paulo: Saraiva, 2015.

_____. *A ditadura da beleza e a revolução das mulheres.* Rio de Janeiro: Sextante, 2005.

FARIAS. Gabrielle Lima de et al. *Ditadura da beleza.* Scientia Plena Jovem, v. 5, n. 1, 2017, Colégio de Aplicação (Codap) – Universidade Federal de Sergipe, Sergipe, 2017. Disponível em: <www.spjovem.com.br/index.php/SPJ/article/download/20/15>. Acesso em: 22 de mai. de 2018.

FELIPE. Leandra. *Mulheres são donas de 31% de empresas nos Estados Unidos.* Agência Brasil. Mar. 2018. Disponível em: <http://agenciabrasil.ebc.com.br/internacional/noticia/2018-03/editada-mulheres-sao--donas-de-31-das-empresas-privadas-nos-estados>. Acesso em: 25 de mai. de 2018.

FONSECA. Rosa Maria Godoy Serpa da. *A educação e o processo de inclusão: exclusão social da mulher: uma questão de gênero?* Rev. Bras. Enferm., Brasília, v. 48, n. 1, p. 51-59, mar. 1995. Disponível em: <http://www.scielo.br/scielo.php?script=sci_arttext&pid=S0034-71671995000100008&lng=en&nrm=iso>. Acesso em: 25 de mai. de 2018.

FREITAS. James Deam Amaral. *Anúncios publicitários e identidade de gênero: uma análise comparativa das revistas Elle e Capricho.* Goiânia, 2005. Disponível em: <https://www.pagu.unicamp.br/pf-pagu/public-files/

arquivo/dissertacao_james_deam_amaral_freitas.
pdf#overlay-context=pt-br/content/banco-teses>.
Acesso em: 25 de mai. de 2018.

GAMA. Júlia de Fátima Ribeiro et al. *A ditadura da beleza:
conceito estereotipado de estética e os níveis de satisfação com a imagem corporal em alunas do Instituto
Federal Fluminense.* Revista Científica Linkania Master –
ISSN: 2236-6660. Universidade Castelo Branco, ano 1, n. 1,
set.-out., 2011. Disponível em: <http://linkania.org/master/
article/view/18>. Acesso em: 22 de mai. de 2018.

GIKOVATE. Flávio. *Reflexão sobre o feminino (entendendo a mulher).* 2012. Disponível em: <http://flaviogikovate.
com.br/reflexoes-sobre-o-feminino/>. Acesso em: 22
de mai. de 2018.

GODOS. Raquel. *Estados Unidos também vivem realidade de mulheres sem representação e desvalorizada.* UOL
Notícias, jan. 2018. Disponível em: <https://noticias.uol.com.
br/ultimas-noticias/efe/2018/01/19/eua-tambem-vivem-
-realidade-de-mulheres-sem-representacao-e-desva-
lorizadas.htm>. Acesso em 25 de mai. de 2018.

GOLEMAN, Daniel. *Inteligência emocional: a teoria revo-
lucionária que define o que é ser inteligente.* 2. ed. Rio
de Janeiro: Objetiva, 2012.

_____ *Trabalhando com a inteligência emocional.* 2.
ed. Rio de Janeiro: Objetiva, 2001.

HIRATA. Helena. *Trabalho doméstico: uma servidão voluntária?.* In: Godinho, T.; Silveira, M. L. da (Orgs.), Políticas
públicas e igualdade de gênero. São Paulo, Coordena-
doria Especial da Mulher, p. 43-54, 2004. 188 p. Disponível em: <http://library.fes.de/pdf-files/bueros/brasi-
lien/05630.pdf>. Acesso em: 22 de mai. de 2018.

HOWARD. Caroline. *27 mulheres mais poderosas do mundo em 2017.* Forbes Brasil, nov. 2017. Disponível em: <http://forbes.uol.com.br/listas/2017/11/25-mulheres--mais-poderosas-do-mundo-em-2017/>. Acesso em: 22 de mai. de 2018.

IBGE – INSTITUTO BRASILEIRO DE GEOGRAFIA E ESTATÍSTICA. *Estatísticas de gênero: responsabilidade por afazeres afeta inserção das mulheres no mercado de trabalho.* Estatísticas Sociais, mar. 2018. Disponível em: <https://agenciadenoticias.ibge.gov.br/agencia-noticias/2013-agencia-de-noticias/releases/20232-estatisticas-de-genero-responsabilidade-por-afazeres-afeta-insercao-das-mulheres-no-mercado-de-trabalho.html>. Acesso em: 25 de mai. de 2018.

_____ *Estatísticas de gênero – Indicadores sociais das mulheres no Brasil.* Brasil, 2018. Disponível em: <https://www.ibge.gov.br/estatisticas-novoportal/multidominio/genero/20163>. Acesso em: 23 de mai. de 2018.

JABLONSKI, Bernardo. *A divisão de tarefas domésticas entre homens e mulheres no cotidiano do casamento.* Psicologia Ciência e Profissão. Pontifícia Universidade Católica do Rio de Janeiro, 2010, 30 (2), p. 262-275. Disponível em: <http://www.scielo.br/scielo.php?pid=S1414-98932010000200004&script=sci_abstract&tlng=pt>. Acesso em: 23 de mai. de 2018.

JAMRISKO. Michele. *Cresce a participação feminina no mercado de trabalho nos EUA.* UOL, ago. 2017. Disponível em: <https://economia.uol.com.br/noticias/bloomberg/2017/08/16/cresce-a-participacao-feminina-no--mercado-de-trabalho-nos-eua.htm>. Acesso em: 22 de mai. de 2018.

KACHANI. Adriana Trejger. *Checagem do corpo em trans-*

tornos alimentares: relação entre comportamentos e cognições. 2012. 216 f. Tese (Doutorado em Ciências) – Faculdade de Medicina da Universidade de São Paulo, Programa de Fisiopatologia Experimental. São Paulo, 2012.

KOMETANI. Pâmela. *Só 16% dos presidentes de empresas no Brasil são mulheres*. G1, mar. 2017. Disponível em: <https://g1.globo.com/economia/concursos-e-emprego/noticia/so-16-dos-presidentes-de-empresas-no-brasil-sao-mulheres-diz-pesquisa.ghtml>. Acesso em: 23 de mai. de 2018.

LA BOÉTIE. Etienne de. *Discurso sobre a servidão voluntária*. França. [1574?]. Disponível em: <http://www.culturabrasil.org/zip/boetie.pdf>. Acesso em: 26 de mai. de 2018.

MAYER, J. D.; SALOVEY, P. (1997). What is emotional intelligence? In: P. Salovey & D. J. Sluyter (Eds.), Emotional Development and Emotional Intelligence: Implications for Educators. New York: Basic Books, p. 3-31.

MORENO, Rachel. *A beleza impossível: mulher, mídia e consumo*. São Paulo: Ágora, 2016.

MUSSAK, Eugênio. *Metacompetência: uma nova visão do trabalho e da realização pessoal*. São Paulo: Gente, 2003.

NASCIMENTO DE FARIAS, Marcilene. *Reseña de "História das mulheres e as representações do feminino" de Losandro Antonio TEDESCHI*. Revista Estudos Feministas, v. 17, núm. 3, set.-dez. 2009, p. 924-925. Universidade Federal de Santa Catarina, Brasil. Disponível em: <http://www.redalyc.org/articulo.oa?id=38114364021>. Acesso em: 24 de mai. de 2018.

NAÇÕES UNIDAS DO BRASIL. *Igualdade de gênero: alcançar a igualdade de gênero e empoderar todas as mulheres e meninas.* Disponível em: <https://nacoesunidas.org/pos2015/ods5/>. Acesso em: 25 de mai. de 2018.

NUCCI, Marina Fisher. *Hormônios pré-natais e a ideia de sexo cerebral: uma análise das pesquisas biomédicas sobre gênero e sexualidade, 2010.* 104f. Dissertação (Mestrado em Ciências Humanas e Saúde). Universidade do Estado do Rio de Janeiro, Instituto de Medicina Social Rio de Janeiro, 1994. Disponível em: <http://www.bdtd.uerj.br/tde_busca/arquivo.php?codArquivo=1575>. Acesso em: 23 de mai. de 2018.

OLIVIERI, Antonio Carlos. *Mulheres: uma longa história pela conquista de direitos iguais.* UOL, Pedagogia e Comunicação. Disponível em: <https://vestibular.uol.com.br/resumo-das-disciplinas/atualidades/mulheres-uma-longa-historia-pela-conquista-de-direitos-iguais.htm?cmpid=copiaecola>. Acesso em: 24 de mai. de 2018.

PIRES, Maria Laura Nogueira; CALIL, Helena Maria. *Associação entre transtorno disfórico pré-menstrual e transtornos depressivos.* Rev. Bras. Psiquiatr., São Paulo, v. 21, n. 2, p. 118-127, jun. 1999. Disponível em: <http://dx.doi.org/10.1590/S1516-44461999000200011>. Acesso em: 29 de mai. de 2018.

RIBEIRO, Paulo Silvino. *O papel da mulher na sociedade.* Brasil Escola. Disponível em: <https://brasilescola.uol.com.br/sociologia/o-papel-mulher-na-sociedade.htm>. Acesso em: 24 de mai. de 2018.

RIBEIRO, Regina Fiore. *5 passos para estimular a inteligência emocional do seu filho.* Escola da Inteligência, jul. 2017. Disponível em: <https://escoladainteligencia.com.br/5-passos-para-estimular-a-inteligencia-emocional-do-seu-filho/>. Acesso em: 22 de mai. de 2018.

RODRIGUES, Arakcy Martins. *Indivíduo, grupo e sociedade: Estudos de psicologia social.* Lany Sato (Org.). São Paulo: Edusp, 2005. Disponível em: <https://books.google.com.br/books?id=SMV->. Acesso em: 21 de mai. de 2018.

SAARNI, Carolyn. *Competência emocional: uma perspectiva evolutiva.* In: BAR-ON, Reuven: PARKER, James D. A. (Org.). Manual de inteligência emocional: teoria, desenvolvimento, avaliação e aplicação em casa, na escola e no local de trabalho. Trad. Ronaldo Cataldo Costa. Porto Alegre: Artmed, 2002.

SANTOS, Franklin. *Inteligência emocional.* Recife. Clube de Autores, 2011. Disponível em: <https://books.google.com.br/books?id=FAotBQAAQBAJ&pg=PA3&lpg=PA3&dq>. Acesso em: 24 de mai. de 2018.

SILVA, Sergio Gomes da. *Preconceito e discriminação: as bases da violência contra a mulher.* Psicol. cienc. prof., Brasília, v. 30, n. 3, p., set. 2010. Disponível em: http://pepsic.bvsalud.org/scielo.php?script=sci_arttext&pid=S1414-98932010000300009&lng=pt&nrm=iso>. Acesso em: 25 de mai. de 2018.

TORRÃO FILHO, Amílcar. *Uma questão de gênero: onde o masculino e o feminino se cruzam.* Cadernos Pagu (24), janeiro-junho de 2005, p. 127-152. IFCH-Unicamp, Campinas. 2005. Disponível em: http://www.scielo.br/pdf/cpa/n24/n24a07>. Acesso em: 25 de mai. de 2018.

VIANNA, Claudia; FINCO, Daniela. *Meninas e meninos na educação infantil: uma questão de gênero e poder.* Cadernos Pagu (33), jul.-dez. 2009, p. 265-283. Disponível em: <http://www.scielo.br/pdf/cpa/n33/10>. Acesso em: 22 de mai. de 2018.

VIEIRA, Katiane. *Desigualdade entre homens e mulheres*

cresce no Brasil. Instituição Nação de Valor. Florianópolis, fev. 2018. Disponível em: <http://institutonacaodevalor.org.br/desigualdade-entre-homens-e-mulheres--cresce-e-brasil/>. Acesso em: 22 de mai. de 2018.

WATANABE, Phillippe. *Meninas de 6 anos já não se acham inteligentes e desistem de atividades.* Folha de S.Paulo, Caderno Saúde e Equilíbrio, fev. 2017. Disponível em: <http://www1.folha.uol.com.br/equilibrioesaude/2017/02/1854691-meninas-de-6-anos-ja-nao--se-acham-inteligentes-e-desistem-de-atividades.shtml>. Acesso em: 23 de mai. de 2018.